Marc AURIVE

# La radiesthésie

**Illustration : Roch JABERT**

Collaboration technique : **Mireille AURIVE**

# Sommaire

# INTRODUCTION

Nous avions un oncle campagnard, dont la maison était ouverte à tous. Amis et connaissances, gens venus d'ailleurs prenaient son avis. Il semblait tout naturel qu'il recommande les vertus de telle plante à l'un qui se plaignait de ceci, qu'il fasse des passes magnétiques sur tel autre qui souffrait ici ou là. Surtout, il jouait du pendule. Nous étions confondu qu'en toute bonne foi, le brave homme reconnaisse un pouvoir de révélation presque infaillible à une petite boule métallique suspendue par un fil de chanvre, entre ses doigts. Quand on lui demandait d'expliquer son don, il répondait simplement qu'il suffisait d'y croire.

« Comme ma mère à saint Antoine de Padoue ?
— Quasiment. »

Objets perdus ou volés, personnes disparues, embarras personnels, traitement du sol et des animaux : tous sujets d'investigation dont la bonne fin était généralement reconnue. Même des autorités de police le consultaient. Refusant de rien admettre que la démarche rationnelle ait instruit, mais confondu par tant de confiance que la crédulité publique ne suffisait pas à expliquer, nous avions résolu de nous forger une opinion avant que de tâter nous-même du pendule. A une époque où les ultra-sons et l'échographie ne déterminaient pas encore le sexe des fœtus, notre oncle assura fort vite que notre épouse attendait de « fausses jumelles ». L'obstétricien imputa à l'intimité de leur enlacement le fait que les battements du cœur de l'une avaient masqué totalement ceux de l'autre...

## Brève mise au point

Dictionnaires et encyclopédies disent peu. Le terme moderne de **radiesthésie** (signification étymologique : « sensations de rayons ») rassemble les procédés divinatoires consistant à rechercher les corps cachés, objets inanimés et êtres vivants, au moyen du pendule ou de la baguette. La nécessité vitale et ancestrale de découvrir des points d'eau enfouis (**sourcellerie, hydroscopie**) porta d'abord à employer un instrument aussi rudimentaire que naturel, la baguette de bois souple, généralement de coudrier ou de saule, taillée en fourche et à saisir par les branches. C'est pourquoi cet *art* fut précédemment connu sous le nom de **rhabdomancie** (divination par les baguettes), également employée à la découverte constatée de gîtes métallifères. D'un usage plus récent et s'accommodant de déplacements moins longs, le pendule s'agite au-dessus de l'objet recherché ou du témoin de la personne disparue (pièce de vêtement, touffe de cheveux, etc.).

La radiesthésie présente aussi une *théorie explicative* des faits de divination, fondée sur « le tout rayonnant de l'univers » et selon laquelle tout corps végétal, minéral ou animal émettrait des ondes en raison de l'énergie vibratoire spécifique des atomes qui le constituent.

Relevons au passage l'appel abusif aux « radiations », exclusivement dues à la radioactivité de certains corps naturels. L'énergie vibratoire émanée des formes, dont s'occupe plus particulièrement la **radionique**, aiderait, autant que la matière, à la différenciation des objets. Quant à nos cellules, en particulier celles du cerveau, en plus d'émettre, elles recevraient selon des fréquences données. C'est ce qu'on appelle la **mise en résonance** ou **syntonie** qui expliquerait, par ailleurs, les phénomènes de télépathie. Ceci constitue l'hypothèse fondamentale, métaphysique presque, en ce que sa compréhension et sa maîtrise totales nous ouvriraient définitivement au monde.

Faute de moyens, la science, dans son état d'inachèvement permanent, n'a pu vérifier grand-chose, malgré l'intérêt que Newton, Edison, Einstein ont porté aux réussites attestées de la radiesthésie. Parallèlement aux Soviétiques et aux biophysiciens américains, le professeur Rocard a étudié la transmission de messages dont la puissance engendre, même en avion, des réflexes immédiatement conscients. La puissance de ces messages vient de champs de variation magnétique terrestre, que causent des courants d'électro-filtration d'eau courante, des masses métalliques en mouvement et des variations de courants électriques[1].

L'incompréhension est venue de l'acharnement de certains radiesthésistes à envisager leur discipline selon des méthodes et un vocabulaire calqués sur la physique électro-magnétique. Chacun d'eux a ainsi établi ou adapté de soi-disant conditions d'obtention des informations et des messages, donnant lieu à des démarches tout à fait empiriques, dont l'extravagance confirme la communauté scientifique dans son extrême méfiance. Si certains par exemple, que la neutralité obsède, poussaient la logique jusqu'au bout, ils n'opéreraient plus

1. Yves ROCARD, *Les Sourciers*, Que sais-je?, PUF, 1981 et *La Science et les Sourciers*, Dunod, 1989.

que tout nus. Et avec quel instrument puisqu'aucune matière, aucun alliage ne sont jamais complètement neutres ?

Il faut certes que les données se transmettent en nous de quelque manière. Comme nous en ignorons, nous laisserons cela, à quelques allusions près. Puisque l'acte radiesthésique proprement dit, que traduit une légère modification physiologique et une réaction instrumentale, a son siège dans l'activité cérébrale, nous n'en envisagerons la technique que sous l'angle psychologique. Car, si la tenue des opérations peut se passer de considérations sur la radiesthésie physique, elle ne peut ignorer la formation mentale dont il sera question au troisième chapitre de la première partie.

Vous êtes peut-être, sans le savoir, de ceux dont « le sixième sens » n'a pas été atrophié par la civilisation. On veut parler de l'intuition spontanée qui fut primitivement à l'homme ce que l'instinct est encore à l'animal. Elle se distingue de la pensée raisonnante et de l'imagination, rêveuse ou créatrice, en ce que la perception des messages extra-sensoriels favorise aussitôt l'émergence de la vérité. Le jaillissement de cette « conscience organique dont l'automatisme est le trait caractéristique »[1] vous classera alors dans la catégorie des « sensitifs » qui apprennent particulièrement vite.

## L'aptitude de chacun à la radiesthésie

En conjecturant l'influence du magnétisme polaire, Reichenbach a établi quelques critères de reconnaissance de la **sensitivité radiesthésique**. Comme il s'agit bien d'empirisme, nous ne les citerons qu'à titre indicatif.

---

1. Docteur JARRICOT, *La Radiesthésie*, Grasset, 1959.

— Dans son sommeil qu'il a agité, le sensitif se découvre.

— La présence de quelqu'un dans son lit le prive d'un sommeil tranquille.

— Le corps humain étant polarisé positivement à droite et négativement à gauche d'une part, la polarité du sol de l'hémisphère nord étant positive de l'autre, si le sensitif se couche sur le côté droit, il y a opposition entre deux pôles de même nom ; s'il se couche sur le côté gauche, les pôles étant contraires, il peut s'endormir paisiblement.

— Quand deux personnes se trouvent immédiatement l'une derrière l'autre, les côtés de pôle identique s'opposent donc. C'est pourquoi le sensitif se sent mal à l'aise dans une assemblée qu'il aura tendance à fuir.

— Pour la même raison, il ne souffre pas une poignée de mains trop longue : il retire aussitôt la sienne.

— De même, sa main droite ne retient pas longtemps des pièces de monnaie en argent ou en cuivre.

— Quand il dissout une poudre effervescente dans un verre d'eau qu'il tient dans la main gauche, le verre lui semble froid.

— Après avoir frotté l'une contre l'autre les paumes de ses mains, celle de gauche lui paraît sensiblement plus chaude.

— Il apprécie les saveurs aigres, mais déteste graisses et sucreries ; il évitera de prendre du sucre dans son café.

— La plupart des sensitifs parlent pendant leur sommeil ; les hypersensitifs gesticulent, se redressent et se réveillent.

— Si le sensitif déteste les tons jaune et jaune-orange, il affectionne particulièrement la couleur bleue.

Du point de vue radiesthésique, sensitifs et hypersensitifs seraient ceux pour qui valent respectivement cinq et neuf de ces critères. On distinguerait aussi des signes de la sensitivité dans les tensions astrologiques : ainsi de la neuvième maison d'un horoscope où Uranus et Neptune sont en position ou d'aspect favorable...

En réalité, tout le monde ou presque est potentiellement apte à la radiesthésie, à la condition d'apprendre à réveiller une sensibilité intuitive le plus souvent enfouie, jamais éteinte. Quant à la minorité des sensitifs qui l'expriment encore naturellement, il leur appartient d'en orienter l'expression, sans cela anarchique.

PREMIERE PARTIE

---

# La préparation

# CHAPITRE I

## Les instruments opératoires

Comme ils ne sont que des index amplificateurs de réflexes neuro-musculaires généralement imperceptibles, leur caractère pratique importe seul. Un impératif majeur guidera le choix de l'objet et de la méthode : les goûts personnels sans doute, la qualité des résultats surtout.

## *La baguette*

### Sa confection

Formée de deux branches de grosseur à peu près identique et de trente à quarante centimètres de long chacune, elle peut être taillée dans du bois vert, tendre et souple comme le coudrier, flexible, élastique et résistant comme le noisetier. L'érable et les jeunes pousses de hêtre peuvent également convenir, mais non les résineux ni le sureau, trop rigides.

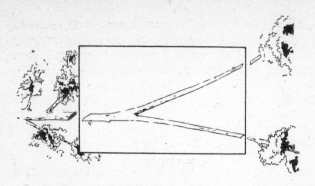

→ Vérifiez l'efficacité de la fourche en écartant légèrement les branches tenues à l'horizontale : la tension ainsi opérée assure un équilibre instable qui pousse la pointe à tourner vers le haut ou vers le bas.

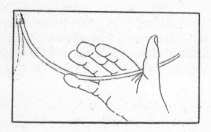

Cependant que la « baguette naturelle » exige la fraîcheur renouvelée ou entretenue du matériau — les anciens sourciers la trempaient dans de l'eau avant chaque usage —, on s'accommode mieux de baguettes métalliques, en fanons de baleine, en jonc, en plastique..., qui présentent l'avantage de formes régulières, rondes ou plates, et d'un meilleur équilibre. Si des baguettes métalliques, rivées ou ligaturées à une de leurs extrémités, peuvent s'ouvrir et se fermer à volonté et donc, être mises aisément en poche, elles fatiguent fort les mains et tournent très vite, en raison de leur élasticité. C'est pourquoi nous optons pour des **baleines**, suffisamment longues (plus ou moins trente centimètres) pour être tenues à pleines mains, pas trop cependant, pour éviter la lenteur des réactions et la fatigue ; avec un assemblage à la pointe, qui les maintienne bien, l'une par rapport à l'autre.

## Tenue de la baguette

Il existe plusieurs manières dont le but consiste à opposer l'équilibre instable de la baguette, obtenu par flexion des branches, à une réaction comparable à celle du ressort.

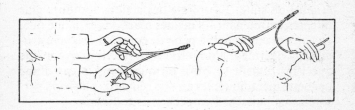

→ Presser légèrement les bras le long du corps, jusqu'aux coudes. Liberté des avant-bras et des mains renversées qui, pouces écartés, saisissent les branches de telle sorte que la pointe se dirige horizontalement vers l'avant. Les quatre doigts de chaque main sont glissés en-dessous de la branche correspondante, le pouce resté au-dessus. On obtiendra l'incurvation vers l'intérieur, soit par l'écartement des branches, soit par la pression des doigts qui sont alors refermés.

A noter que la branche passant sur l'extrémité de l'auriculaire laissé comme à l'abandon, elle pourrait s'en trouver influencée. D'où l'utilité de la faire passer entre celui-ci et l'annulaire.

On vérifiera l'instabilité de l'équilibre en obtenant

une saute de la baguette, suite à une nouvelle pression des mains sur les branches ou à celle d'un tiers sur la pointe.

S'exercer, avant toute recherche, à ce que la pointe reste horizontale sans que la pression sur les branches n'engendre de la fatigue.

## Explication du phénomène

On impose donc une tension volontaire à la baguette dont l'équilibre est rompu par le réflexe annonciateur de la découverte, de soi inconscient. Le fait de vouloir rétablir l'équilibre initial engendre une tension supplémentaire à laquelle la baguette réagit en conséquence, et ainsi de suite. La spirale des actions toujours plus intenses entretenant les mêmes réactions explique que, en voulant empêcher la perte de contrôle de son instrument, l'opérateur l'amplifie souvent. Il arrive même que l'instrument se brise ou que, dans le cas d'une baguette métallique, les efforts réunis de plusieurs personnes ne puissent l'empêcher de tourner.

## Les baguettes en forme de L

Elles amplifient d'infimes mouvements musculaires tendant à provoquer une torsion des bras.

→ Confectionner des baguettes dont le métal ne plie pas sous l'action du vent. Si l'alliage utilisé pour les soudures rassurera sur tout risque d'effet magnétique (attraction ou répulsion), le cuivre, bon conducteur de courant, et le bois peuvent également convenir.

Pointées vers l'avant et parallèlement au sol, écartées d'environ quarante centimètres, elles sont tenues lâchement, de manière à pouvoir tourner comme des girouettes, tantôt vers la droite, tantôt vers la gauche.

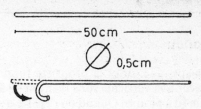

Leur croisement ou leur écartement manifestent le réflexe de la découverte : passage au-dessus du point ou indication de la direction quand on tourne sur soi-même.

Elles servent particulièrement à localiser les liquides souterrains : sources, nappes, canalisations, anciens puits recouverts, gisements de pétrole, etc.

Nous proposons des poignées courbes et des dimensions cependant adaptables.

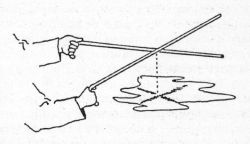

# Le pendule

## Description

Masse suspendue, dont la propriété fondamentale est de se placer à la verticale sous l'action de la pesanteur, comme le fil à plomb. Quand on l'écarte de la verticale, il tend à y revenir en accomplissant des oscillations dont l'amplitude est liée à l'écart qu'il a subi ou à la grandeur de l'impulsion qui lui a été imprimée.

Les lois physiques régissant les oscillations du pendule s'appliquent également à ses girations qui, de formes elliptiques ou circulaires, ne sont que des oscillations déformées pouvant se produire dans deux sens opposés.

A égalité de temps, la vitesse des oscillations est directement proportionnelle à leur amplitude. Celle-ci étant en rapport inverse avec la longueur de la suspension, on peut conclure que plus le fil sera court, plus rapides seront les mouvements de la masse, et inversement. Or, nous avons besoin de saisir au plus vite le message intuitif dans toute sa pureté originelle, quand il n'a pas eu le temps d'être altéré par le flux permanent des pensées ordinaires. De là vient l'utilité d'une suspension assez courte (cinq centimètres). Qu'une trop grande vitesse de mouvement empêche un comptage précis des mouvements ne présente pas d'inconvénient majeur, en raison de la nécessité de « sentir » le pendule plutôt que d'y attacher le regard, du caractère autosuggestif de la prétendue loi des séries caractéristiques des corps, et de nos autres modes d'évaluation des grandeurs.

D'autre part, puisque, pour une longueur donnée de la suspension, le nombre et la durée des oscillations sont indépendants de la masse, le poids du pendule nous indifférerait s'il ne convenait, comme on a dit, de bien le sentir. De trente à quarante grammes nous semblant convenir le mieux, on choisira un métal qui réduise au plus le volume de la masse.

On objectera que la lenteur de réaction d'un pendule plutôt lourd oblige à le lancer préalablement : une suspension courte fait plus que d'y pourvoir[1]. Ou encore, que les influences électro-magnétiques ou les lois d'affinité de la matière obligent à l'emploi d'un matériau absolument neutre. Mais en existe-t-il vraiment ? Et puis, si captation et sélection d'ondes il y a vraiment, c'est bien au sein de l'opérateur qu'elles s'effectuent.

Comme la forme sphérique assure la meilleure régularité du mouvement, on la privilégiera, terminée par une pointe qui localise plus précisément sur un plan, une carte ou une planche. A cette fin, le pendule en forme de goutte peut également convenir. Non pas ceux qui présentent des arêtes vives ; ni les objets plats (montres, clés, anneaux...) qui, tournant sur eux-mêmes, ne peuvent abandonner leur plan d'oscillation pour entrer en girations, à l'égal des sphères, cylindres ou ovoïdes.

Nous ne recommandons pas le pendule creux, dans lequel les témoins risquent de modifier l'égale répartition de la masse. Par ailleurs, comme le témoin sert plus à réserver une attention exclusive à l'objet de la recherche qu'à établir avec lui une hypothétique liaison physique, le tenir dans la main restée libre ou le mettre, au besoin, bien en vue nous semble préférable.

Parce que d'un bon équilibrage et d'une bonne suspension dépendent pureté et régularité des mouvements, le centre de gravité de la masse doit se trouver dans le prolongement fictif de la suspension. Une chaînette à maillons plats constituera celle-ci plutôt qu'un fil de chanvre, au demeurant fort souple, mais qui ne pourra empêcher la masse de tourner sur elle-même.

---

1. Maurice Le Gall a même imaginé un pendule bi-métallique : le centre de gravité étant ainsi relevé, les mouvements s'en trouvent accentués.

## Tenue du pendule

Comme des réactions neuro-musculaires de faible intensité se transmettent à la masse par l'intermédiaire d'un simple fil sans torsion, une grande souplesse des articulations concernées par la transmission de l'influx importe fort, qu'il s'agisse de la nuque, de l'épaule, du coude, du poignet ou des phalanges.

→ Afin de conserver au pendule son immobilité première, on s'assurera donc, avant toute opération, d'une parfaite décontraction et de l'absence de toute entrave. Ceci explique que la main se courbe légèrement vers le bas, que les doigts ne sont ni serrés ni fermés, que le bras se détache légèrement du corps quand on opère debout et qu'à l'indispensable condition de ne pas fatiguer le bras, le coude se trouve légèrement soulevé de table, dans la recherche sur documents.

De par sa fonction, l'index, plus que tout autre doigt, assure une conduction nerveuse quasi permanente. Dire en l'occurrence qu'il formera également pince avec le pouce ne convient cependant pas puisqu'il ne peut y avoir effort à retenir la suspension[1].

1. Pour l'empêcher de glisser, Le Gall a terminé la chaînette par un anneau où passer l'auriculaire.

Il n'y a nul inconvénient à ce que les gauchers qui n'ont pas été contraints d'écrire de la main droite, se servent de la gauche. Bien au contraire, quand on sait que la recherche neurologique situe la faculté intuitive dans l'hémisphère cérébral droit, qui commande le côté opposé de notre corps.

Si la longueur de suspension préconisée ne convenait pas, réglez-la selon votre meilleure convenance en obtenant par d'infimes mouvements du poignet, des **oscillations** *perpendiculaires* et *parallèles* à vous, puis des **girations** *directes* (dans le sens des aiguilles d'une montre) et *indirectes* (dans le sens opposé).

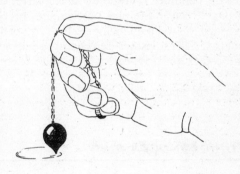

## *Avantages et inconvénients des instruments, l'un par rapport à l'autre*

La technique de la baguette exige un apprentissage plus long. Elle mobilise les deux membres, alors que la main laissée libre par le pendule peut servir d'antenne ou tenir un objet utile. Comme la baguette impose une plus grande fatigue, la moindre contraction la fait se mouvoir. Par contre, plus mobile, le pendule subit trop facilement l'influence des causes extérieures, des éléments naturels, des mouvements involontaires de l'opérateur et de son autosuggestion.

La baguette accusant le réflexe d'une manière beaucoup plus nette et instantanée, celui-ci est plus précis quand on se déplace et son interprétation plus simple. Mais s'il arrive au pendule d'hésiter, la plus grande diversité de ses mouvements enrichit l'interprétation et élargit considérablement le domaine de la recherche.

En raison de son irrésistible capacité de réaction, la baguette habitue à une prise de conscience tout à fait précise et immédiate, qui ne sera pas perdue quand on se servira du pendule. L'étude de la baguette, qui ne requiert pas de sensibilité plus particulière, précédera donc un usage, quand bien même exclusif, du pendule.

En tout cas, si la radiesthésie en chambre et la prémonition radiesthésique privilégient le pendule, les recherches sur le terrain et sur le corps même du malade s'accommodent mieux de la baguette.

## L'opération à main nue

Certains radiesthésistes entretiennent ou développent une telle sensibilité qu'ils peuvent percevoir les réflexes sans l'intermédiaire d'un instrument, au moyen des seules sensations visuelles, olfactives, gustatives ou surtout tactiles (picotements, glace ou chaleur des paumes).

Quant à la reconnaissance d'infimes mouvements de la main, elle demande trop d'attention et d'observation. Aussi, apprendra-t-on à les amplifier.

→ S'efforcer de percevoir les mouvements imperceptibles du bras et de la main, qui déclenchent inconsciemment le pendule. Les exagérer jusqu'à ce qu'ils se confondent avec ceux de la masse dont l'effet d'entraînement sera d'autant plus fort qu'elle est raisonnablement lourde.

On peut se satisfaire de l'opération à main nue quand, la recherche n'exigeant pas trop de précision ni de minutie, on se trouve en public. Il suffit alors de trancher discrètement par oui ou par non.

## En conclusion

Comme tout bon outil que l'artisan intègre quasiment à sa personne, l'instrument, définitivement choisi et réglé selon notre convenance, est strictement personnel et unique.

L'avoir bien en main ne signifie pas qu'on en banalise l'usage en s'en servant à tout propos et n'importe quand, car ce n'est ni un jouet ni un gri-gri. Pour lui conserver toute sa fraîcheur opérationnelle, on ne l'ajustera qu'une fois satisfaites les conditions de la recherche.

les unes dans le sens des aiguilles d'une montre, les autres en sens inverse.

→ La ligne étant orientée à chacune de ses extrémités, le pendule ne cesse d'être maintenu au-dessus du même point d'origine. Le fait d'envisager successivement l'orientation vers le haut, vers le bas, à droite, à gauche, engendrera des oscillations tirant dans la même direction.

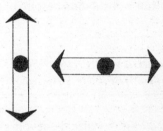

→ Sur une feuille, vous tracez deux circonférences dont l'opposition de sens est marquée par une flèche. Laissez pendre votre pendule au-dessus de chaque centre. En envisageant les cercles selon leur orientation, les oscillations vont bientôt s'arrondir dans le même sens, jusqu'à épouser leur tracé. Formez-en un seul qui ne comporte aucun sens et vérifiez que les girations se manifestent plus volontiers dans l'un que dans l'autre.

Au lieu de la fixité du regard, un simple désir suffirait à entretenir chacun de ces mouvements que le jeu du poignet aurait intentionnellement provoqué.

On aura compris que ces procédés, absolument étrangers à la radiesthésie, ne sont qu'artifices de la volonté et de l'autosuggestion, produisant des mouvements de sens divers sur des formes allongées et arrondies. Des sautes de baguette peuvent supposer, de même, la connaissance d'une réalité.

L'écueil subsistera quand les mouvements pendulaires tendront à reproduire la forme de certains témoins minéralogiques ou médicaux, gênant ainsi la convention dont nous avons besoin.

## *Les mouvements instrumentaux interprétés par convention mentale*

On n'aurait pas idée de devoir s'interroger à tout instant sur le sens du braquage qui donne au véhicule son orientation, quand la circulation exige les automatismes de la conduite. S'agissant de reconnaître aussi spontanément les mouvements instrumentaux, on ne peut y parvenir qu'à la suite d'un accord définitivement passé avec soi-même, qui autorise l'interprétation binaire du réflexe correspondant à une hypothèse posée de manière ponctuelle et correcte. Seule la spécificité d'une investigation, ses exigences, décideront d'accommodations utiles.

• Comme la recherche s'arme du désir raisonnable de trouver, nous déterminerons en premier ce qui manifeste **l'aspect positif des réponses**, les autres s'ensuivant. En dépit de la faculté de choix, de la précédente découverte par chacun de ses tendances à réagir, nous nous tiendrons aux conventions les plus couramment admises.

Quand, à propos d'une recherche sur le terrain ou sur un organisme, la *localisation* intéressera seule, seule comptera la **saute positive de la baguette vers le**

**haut**, en raison de la pesanteur qui l'inclinerait plutôt vers le bas.

Nous réserverons le « oui » du pendule à son mouvement le plus remarquable, la **giration**, dans le sens universellement reconnu des aiguilles d'une montre. Elle sera dite alors *positive* ou *directe*, l'autre étant, pour l'inconvénient des gauchers, *négative* ou *indirecte*. La première nous situe aussi à la verticale ou contre l'emplacement de l'objet de la recherche (dans une armoire, par exemple) ; la seconde également, mais en-dessous (dans le cas d'une fouille souterraine ou dans un immeuble).

A noter la possibilité d'accélérer la venue des girations en maintenant le pendule lancé d'avant en arrière.

Nous négligerons d'obtenir, à la faveur d'hypothétiques champs de gravitation verticaux, des spires ascendantes ou descendantes et ne retiendrons du caractère hésitant, imparfait, des ellipses par rapport aux girations, que le mauvais fondement ou la mauvaise formulation d'une question. Pas la peine de relativiser le + ou le − à travers leurs configurations, pas plus que d'évaluer et de compter d'après l'amplitude et le nombre des girations. Différents moyens y pourvoiront, conventionnellement aussi, grâce auxquels l'instrument n'accapare pas toute l'attention[1]. Nous aurons l'occasion de les exposer en cours d'expériences.

• En usant d'une autre convention par laquelle **la main ou le bras placés en antenne** sont censés capter les radiations des corps, les girations positives servent alors à « bloquer » la direction.

• Il arrive aux oscillations de « tirer » plus dans un sens que dans l'autre : chaque fois que nous nous écartons de la direction ainsi indiquée, il s'en trouve d'autres dont le prolongement converge vers le même point.

• **Le pendule peut s'immobiliser**, comme appesanti,

---

1. Quand, exceptionnellement, le comptage des mouvements sera présenté, nous proposerons une alternative moins périlleuse.

## Mouvements instrumentaux interprétés par convention mentale

| | Direction (sens, orientation) | Emplacement | OUI (bon, positif, favorable, etc.) | NON (mauvais, négatif, nuisible, etc.) |
|---|---|---|---|---|
| **baguette** | | | | |
| saute positive | X | X | X | |
| saute négative | X | | | X |
| **pendule** | | | | |
| oscillations | X | | | |
| girations positives | X (l'autre bras en antenne) | X | X | |
| girations négatives | | X (en-dessous de l'objet : éventuellement) | | X |
| immobilité sur un point | | X (dernier emplacement de l'objet) | | |
| immobilité totale = « fading » | | | | |

attiré par un point. Sa persistance à ne pas donner une nouvelle direction signifie que nous sommes au-dessus du dernier endroit où était l'objet, avant sa disparition définitive. Cela arrrive souvent à l'occasion de la recherche de trésors.

Il peut y avoir immobilisation totale, en cas de *fading*. Ce terme, emprunté au langage radio par l'abbé Mermet, signifie l'évanouissement momentané du son. Plutôt que d'un phénomène analogique, il s'agit du refus mental d'opérer pour raison de fatigue, de malaise ou de préoccupation. Il suffira de se décontracter avant de relancer éventuellement l'instrument au moyen de mouvements volontaires.

• Une sorte d'hallucination peut également se produire, au cours de laquelle on croit voir comme un double fluidique de l'objet. Ces **images ou mirages radiesthésiques**, particulièrement mobiles en temps d'orage, constituent un phénomène d'extériorisation de la pensée par le regard. On les repoussera en se servant d'autant de moyens autosuggestifs que représentent... la décision de ne pas les voir, la pose d'un objet en fer au point d'eau supposé, la tenue dans la main libre d'une pointe en acier, la retenue de la respiration.

## *Le recours aux témoins, encore une convention mentale*

La radiesthésie physique professe l'existence d'un rayon unissant tous corps de même nature, originaux et substituts compris. Dès lors susceptible d'alertes venues de divers côtés, le témoin, par exemple minéral, ne risquerait-il pas de fausser le caractère unique de la recherche ? Support représentatif, suppléant quelquefois obligé, son pouvoir conventionnellement évocateur a en tout cas le mérite de réserver une attention exclusive à l'objet de la recherche, de prévenir toute défaillance de la concentration.

**Les témoins naturels :** échantillons des matières cherchées, ils peuvent n'en contenir qu'une certaine proportion ou n'en être même que des dérivés. De dimensions quelconques, à l'état brut ou travaillés. Du minerai peut servir au métal qu'il contient et du métal au minerai qui le contient ; de leurs cheveux, de leurs ongles, de leur sang aux personnes.

**Les témoins imprégnés** de leur contact intime avec les personnes ou les choses : ce sont les vêtements et tous objets personnels ; les bandes sonores, quand bien même effacées ; les contenants de toutes sortes et, par extension, les lieux d'habitation. Ils tiennent simplement leur pouvoir de ce que, si on veut bien y voir, « les choses ont une âme ».

**Les témoins artificiels** comme les dessins, les schémas, les plans géographiques, les planches anatomiques, les mots-témoins et même les questions écrites, dont on parlera ci-après. Leur usage est dicté par l'impossibilité de s'en procurer d'autres, ou autrement que par des abstractions comme en caractérologie, par la commodité de disposer d'une liste de mots-témoins comme en radiesthésie médicale. Reproduire de sa main ajoutera, par imprégnation mentale, à leur pouvoir suggestif.

**Le témoin universel :** puisque tout rayonne à travers tout, s'est-on dit, n'importe quel objet peut servir de témoin à toutes les recherches.

Un mot de la **photographie**, considérée comme témoin naturel.

L'épreuve, exemplaire tiré d'après cliché ou négatif, comporte, outre l'image lumineuse du sujet représenté, une image radiesthésique qui intègre toute sa personnalité, son état de vie ou de mort, pathologique, sa situation passée et présente, la marque de ses difficultés, ses différents déplacements, lieux de séjour et d'habitation.

A noter que l'image donnera lieu à une recherche d'autant plus difficile que son rayonnement, dont on parle ici communément, est affaibli par les différentes phases de la reproduction.

L'émulsion, préparation rendant sensible à la lumière photographique, se trouve donc impressionnée par des rayons, les uns lumineux, les autres invisibles, qui forment deux images superposées, dont l'une ne sera perçue qu'au moyen du sens radiesthésique. Avant de passer l'émulsion dans le révélateur, rien n'indique la présence de l'image latente, rien ne permet de différencier l'émulsion exposée de l'émulsion vierge. Si donc, au lieu de passer l'émulsion impressionnée dans le révélateur, on la plonge immédiatement dans le bain de fixage, l'image n'apparaissant pas, elle se confondra avec l'image radiesthésique également invisible. Sur l'émulsion ainsi fixée sans avoir suivi de développement, on pourra alors reconnaître au pendule la présence et la forme des images. C'est le contact immédiat entre le cliché et l'épreuve qui assure également la transmission de l'image radiesthésique dont le pouvoir de rayonnement est si fort que toute surface touchée en gardera la rémanence.

Le sujet doit être représenté en pied et seul, car les radiations émanées d'autres personnes affecteraient la recherche. On l'isolera, si besoin, au moyen d'un cache ou d'une découpe. On pourra dégager la photo de toutes les imprégnations intervenues en cours de manipulation.

Parfait substitut du sujet qui y est représenté, la photo le supplée souvent en radiesthésie médicale. L'examen pendulaire y décèle même les maladies en voie de formation, bien avant qu'apparaissent les premiers symptômes.

# CHAPITRE III

# Les conditions psychiques

La pratique de la radiesthésie suppose des exigences à satisfaire dans le cours du processus psychique. En ce domaine comme dans d'autres, inutile de vouloir sacrifier à la mode du temps, selon laquelle on pourrait tout avoir et tout de suite. L'enclenchement du mécanisme mental suppose ici un entraînement préalable à la relaxation, à l'attention confiante et sereine, à la neutralité laissant libre cours à l'intuition.

## Relaxation et vitalité

Une vraie détente libère de toutes les tensions accumulées dans le cours d'une journée. Trop souvent, on la confond avec la distraction passive qui, créant l'illusion de s'évader, engendre l'oubli de soi-même par la mise en sommeil des facultés physiques et psychiques.

Encore que particulièrement profonde dans ses effets, la méthode yogiste n'est certainement pas exclusive de bien d'autres. Nous recommandons un exercice simple, si possible quotidien, qui revitalise nécessairement l'organisme.

→ Dans la pénombre d'une pièce calme, vous êtes assis sur une chaise, le dos droit, mains posées sur les cuisses, les pieds bien à plat et légèrement écartés. Nul bruit ne perturbe un éventuel fond de musique douce. Fort lentement, vous ne cesserez d'inspirer par le nez et, après un blocage de quelques secondes, d'expirer par la bouche. En faisant mentalement un tour complet de votre corps, du haut vers le bas, par la face antérieure d'abord, vous vous arrêtez à chaque organe, chaque os, chaque membre, que vous vous représentez tour à tour irrigués par le sang. En s'y transportant, votre esprit devra se confondre avec chacun d'eux, qui s'en trouvera pénétré et que l'habitude vous fera bientôt reconnaître et situer.

Votre pouvoir mental de fixation aura ainsi procédé à un rééquilibrage physiologiquement bienfaisant.

## Attention et concentration

La **volonté** est nécessaire à la poursuite des objectifs de la vie courante et à la juste perception des messages sensoriels. Mais, parce que confondue avec l'entêtement, l'opiniâtreté ou la détermination, parce que supposant contrainte et tension, elle ne peut tenir lieu de **concentration** dans le domaine suprasensible. Elle n'y mène pas davantage puisqu'elle suit généralement les conclusions amenées par le raisonnement de la conscience objective. Or, la concentration crée dans le moi intime une représentation telle qu'intensément vue, vécue et ressentie. La pensée doit donc abandonner le niveau de la conscience objective pour se transformer en image intérieure. C'est ce qu'on appelle la **visualisation**, différente de l'**imagination** en ce qu'elle façonne un tableau, une image, dont tout et parties orientant vers l'idée, la personne ou l'objet, organisent notre mise en résonance.

On remarquera, à ce propos, l'apport indubitable des acquis de la conscience : c'est au niveau du subconscient que la mémoire présente le plus grand intérêt radiesthésique, parce qu'une masse d'informations volontairement négligées, qui s'ordonnent sans y paraître, n'attend qu'un appel pour servir.

L'image-idée ou l'image-objet ainsi construite, vous n'oublierez pas de l'investir de votre désir qu'elle se concrétise à travers la recherche. Sachez que la concentration ne peut porter que sur un seul objet à la fois, nettement précisé. C'est pourquoi vous n'envisagerez un problème, une question, qu'en focalisant successivement votre attention sur autant de composantes que nécessaire.

→ Visualisez une personne déterminée, de dix à soixante minutes. Décomposez au besoin chacun des aspects constitutifs de sa physionomie (coiffure, traits du visage, etc.). Au surplus, vous chargerez son image du désir qu'elle reprenne contact avec vous, sans nulle tension de la volonté. Coupez net la représentation.

## La neutralité ou vide mental

La coupure d'avec la concentration qui opère en notre for intérieur la représentation de ce qu'on désire trouver, produit aussi brutalement le vide mental que la pression sur le bouton d'un interrupteur la lumière. Vis-à-vis du désir, renforcé ou non par sa traduction verbale, cet état assurera une étanchéité soudaine, à défaut de laquelle l'autosuggestion entraînerait une réaction instrumentale simplement conforme à notre souhait.

Parce qu'il doit y avoir résistance automatique, tant à l'afflux ordinaire des pensées raisonnantes qu'aux

influences et sollicitations extérieures, cet état constitue, à n'en pas douter, l'étape la plus cruciale. En ce
bref instant où l'esprit absolument neutre, non assu-
jetti, n'est passif qu'à l'endroit de la seule intuition
émanée de l'inconscient, l'acte radiesthésique se produit dans toute sa pureté. La concentration a cheminé,
qui en appelle à l'intuition pour laquelle la voie mentale
est libre : le réflexe neuro-musculaire va déclencher la
réaction instrumentale d'une manière préalablement
convenue, *quant à son interprétation*.

## L'intuition

Toute relative que soit la justesse de ses informations,
parce que non dépendante des organes sensoriels et des
facteurs physiques, l'intuition instruit d'éléments trop
souvent méconnus.

### Exercices

Abstenez-vous de mettre votre montre certains jours.
Chaque fois que vous aurez besoin de connaître
l'heure, vous fermerez les paupières pour mieux vous
concentrer. Devenu soudainement passif, vous donne-
rez à l'intuition l'occasion de se manifester, en posant
la question : « Quelle heure avons-nous exactement ? »
La réponse vous viendra habituellement d'une position
des aiguilles ou de chiffres. Ne retenez que la première
impression, car d'autres suivront fort probablement,
qui rectifieront la première à la suite d'une rapide
déduction opérée sur base de vraisemblances
objectives.

Vous aurez donc tendance à écarter la première
impression venue de votre sens intuitif. Or, vous
n'accréditerez celui-ci qu'en empêchant la raison de le
suppléer ou de l'ajuster.

Au début, la plupart de ces primes réponses seront faussées en raison de la longue mise en veilleuse de la faculté intuitive ; réponses si floues, par ailleurs, que vous recueillerez plutôt celles de votre conscience objective. Mais une concentration et une passivité de quelques instants permettront à la **conscience intuitive** d'émerger progressivement.

Faites de même à propos de lettres reçues. Si aucun indice ne permet d'en révéler la provenance, prenez-en une en main et, les yeux fermés, interrogez-vous nettement sur son contenu. Interrogez-vous de même sur l'origine et l'objet de coups de téléphone, le temps de laisser sonner quelques instants. Encore une fois, fiez-vous à votre toute première impression, même si elle semble insolite. Rappelez-vous aussi que l'intuition n'a de valeur que si son expression est instantanée.

→ Nous supposons que, convaincu de notre faculté d'investigation suprasensorielle, vous avez appris à vous détendre. Cette aptitude vous désignera les moments propices au travail radiesthésique.

Un problème est posé, auquel il convient de répondre. Vous savez qu'après avoir orienté votre esprit vers l'objet de la recherche et ponctué votre concentration du désir de trouver, une question adéquate sollicitera votre sens intuitif qui, monté de l'inconscient, affleurera à la faveur d'un état passif d'attente. On entend par ceci une neutralité absolue qui prémunit de l'intrusion de l'imagination, refoule toute suggestion, personnelle ou extérieure, et laisse indifférent à la nature du résultat.

On voit l'enchaînement qui jumelle l'expression du désir et l'interrogation mentale. D'une part, l'obligation d'une réponse, soit positive, soit négative, obligeant à une formulation nette et précise, d'autre part, l'impossibilité d'y réfléchir dans le cours de l'opération mentale, recommandent un **examen analytique du problème posé**, préalable et complet.

Il s'agit bien ici d'un travail de l'intelligence entendue comme la raison, qui requiert des connaissances *pratiques*, selon les cas de la recherche. Ainsi, des notions d'hydrologie dans la recherche de l'eau, de géologie dans celle des métaux, de caractérologie dans l'étude psychologique et l'orientation professionnelle, d'efficience économique et sociale dans l'examen d'une entreprise, d'anatomo-physiologie et de thérapeutique en radiesthésie médicale. De là aussi, l'assistance précieuse, parfois indispensable, d'un technicien qui rassemble les données indispensables à la résolution du problème : le radiesthésiste qui les aura appréciées, désignera d'entre les solutions proposées, la meilleure.

Puisque, sur la base des connaissances qu'on en a, il s'agit de décomposer le problème en autant de questions que la nature strictement binaire des réponses exige, on s'appliquera à les formuler d'abord par écrit, dans leur ordre et très précisément, en même temps que les désirs correspondants.

## L'expression du désir dont l'objet correspond...

Le désir de se rendre sensible à l'objet de la recherche s'obtient par l'énonciation de la formule qui l'exprime, de la portée psychologique de laquelle dépend le degré de sensibilisation. D'où, à moins que de tomber dans le néant mental, la volonté sera tout aussi absente de la manifestation du désir qu'à l'occasion de la concentration.

Le désir n'emportera aucune hâte et ne s'accompagnera surtout d'aucune restriction mentale. L'inconscient l'assimilera d'autant mieux que la formulation sera nette, pure et la mieux adaptée. Qu'elle tienne plus de la prière et du sentiment ne l'empêche pas d'être aussi convaincante que courte et précise. Elle sera prononcée mentalement ou oralement, à voix haute ou basse.

« Je désire me rendre sensible à la présence de tel objet », par exemple, vaut mieux que « Je voudrais trouver tel objet ». « Je veux », expression de l'assurance volontaire, est à proscrire.

## ... à celui de l'interrogation mentale

Il se pourrait que l'expression du désir, éventuellement répétée, déclenche à elle seule la réponse. Elle est le plus souvent renforcée par une question que l'opérateur se pose à lui-même afin de stimuler la montée de la révélation. Au début surtout, les interrogations doivent être précédées de l'expression du désir, afin d'empêcher une attente trop pénible de la réponse que l'esprit tendrait à devancer, à *deviner*.

L'efficacité de la question tient à sa qualité littérale. L'inconscient ne se satisfaisant pas d'expressions douteuses, équivoques, mal définies, il convient de choisir les mots dont l'agencement précisera l'ensemble. Pas question de faire de la grammaire ni de la sémantique, mais la rigueur est de mise.

→ On a, par exemple, relevé un taux excessif d'urée dans votre sang ou vos urines. Comme l'urée favorise la formation de lithiases et développe les rhumatismes, vous décidez de relever quelques aliments qui vous sont nocifs.

— « Quels légumes produisent de l'urée ? » — Mauvaise question, car il faut répondre par oui ou par non.

— « L'oseille est-elle bonne ? » — Mauvaise question : à quel point de vue se place-t-on ? et pour qui ?

— « L'oseille favorise-t-elle en moi la production d'urée ? » — Bonne question dont on déduit la formulation du désir : « Je désire me rendre sensible au fait de savoir si l'oseille favorise en moi la production d'urée. »

Fruit de la réflexion, l'interrogation emportera la foi dans son efficacité et le ferme désir de parvenir à la vérité. Une connaissance approximative du sens et de la portée de ses expressions, un ton de commandement, de contrainte ou d'indifférence, un relâchement de l'attention nuiraient assurément à l'exactitude du résultat.

Quand la connaissance ne tient pas à une seule réponse, on n'y parvient que **par étapes successives**, s'enchaînant avec précision comme dans une bonne partie de jeu de la vérité.

→ Il y a lieu, par exemple, de déterminer le facteur *essentiel* de mévente d'un produit fini. Normalement, on devra distinguer d'entre son prix de vente, sa qualité et l'état du marché, en ce compris la concurrence. Un prix de vente excessif proviendra d'une marge bénéficiaire ou d'un prix de revient trop élevé. Y a-t-il lieu, dans ce dernier cas, de mettre en cause l'investissement, les frais d'approvisionnement, le coût social ou structurel ?

Ou encore, si on veut retrouver un disparu, il convient d'établir son itinéraire de passage et de fixer ses arrêts, leur date et leur durée, le lieu de présence actuel.

Dans le premier cas où des choix s'avèrent nécessaires comme dans l'autre où il s'agit d'un tracé non nécessairement continu, on ne peut envisager les éléments du problème simultanément. Leur traitement successif requerra, dans la mise en œuvre chaque fois renouvelée de l'action radiesthésique, une expression du désir et une question appropriées à chacun d'eux.

## SYNTHESE

1) Une relaxation réussie détermine le moment.

2) Analyse du problème :

a) examen des données → plan de travail ;
b) rédaction : 1° des interrogations ;
2° des expressions du désir correspondantes et préalables ;
3° de la convention instrumentale ;
exemple : « Mon pendule tournera positivement quand la meilleure alternative lui sera présentée. »

3) L'action radiesthésique :
a) concentration par la représentation mentale = orientation ; NI volonté, NI imagination ;
b) expression du désir ;
c) rappel de la convention instrumentale ;
d) NEUTRALITE : maintien de l'attention ; mais plus d'autosuggestion et pas de suggestion, de qui qu'elle émane ;
e) question
→ intuition provoquée → réflexe neuro-musculaire ;
→ réponse instrumentale aussitôt interprétée.

# CHAPITRE IV

## Exercices préparatoires

Nous supposons la maîtrise de la baguette et du pendule acquise, ainsi que le moyen de parvenir à la concentration. Assurez-vous de dispositions physiques et morales favorables. La nature de l'opération décidera de nos propres conventions, cependant qu'on veillera à leur conserver un maximum d'uniformité.

Le choix de l'instrument le mieux approprié n'empêche pas de renouveler utilement l'exercice avec l'autre. Pour ne pas alourdir l'exposé, nous ne rappellerons les états mentaux que pour en souligner quelques carences fondamentales. Nous recommandons enfin tous exercices dont les conditions matérielles de réalisation sont des plus simples.

# *Exercices de sensibilisation*

Dans une première phase où l'objet, la matière seront chaque fois **connus**, le réflexe s'obtiendra de manière volontaire ou autosuggérée. Ce n'est que « **sur inconnu** » qu'il y aura essai authentiquement radiesthésique.

## Faculté de discrimination

→ Disposer sur une même ligne, à quelques centimètres l'une de l'autre et figures contre table, des **cartes de jeu** préalablement mêlées. Les oscillations du pendule ne cesseront d'être entretenues au-dessus de chacune d'elles.

1º Avant de retourner la première, annoncer à haute voix une de ses couleurs possibles, le rouge par exemple. Si oui, *faire* « tourner » le pendule en sens direct ; négativement, si elle est noire.

2º L'alignement ne comporte cette fois que trois cartes soigneusement mêlées, appartenant à la série des carreaux, par exemple. Commencer par le début ou par la fin. Plutôt que de suivre les mouvements du pendule, le regard restera fixé sur le centre de la carte afin d'empêcher qu'en faisant le tour de celle-ci, il ne provoque la giration en raison du pouvoir moteur des images et qu'il ne soit attiré par tout ce qui entoure.
— Expression du désir : « Je désire me rendre sensible à la présence de l'as de carreau. »
— Question posée mentalement, en toute sérénité : « Est-ce l'as de carreau ? » Les oscillations continuent d'être volontairement maintenues au-dessus de la carte.

— Si, après une minute d'attente, les oscillations ne se sont pas transformées en girations directes, le pendule est porté, toujours oscillant, au-dessus de la carte suivante.

— Expression du même désir, même question plusieurs fois répétée dans le cours de la minute qui suit, et ainsi de suite jusqu'à obtention des girations positives.

Ne poursuivre l'exercice sur d'autres motifs qu'après de nouveaux essais, dont la plupart auront été couronnés de succès. Ne pas oublier de mêler chaque fois les cartes, faute de quoi les girations seraient suggérées par déduction.

## Causes d'échec

— Le pendule s'obstine à ne pas tourner parce qu'une distraction est survenue inconsciemment, qui a défait le processus mental. On recommence en ne se représentant que la seule figure recherchée. Il se pourrait alors qu'à la faveur de ce renforcement, les oscillations se transforment spontanément en girations. Trente secondes se passeront avant qu'on ne les arrête et qu'on retourne la carte pour vérification.

— Mais une giration instantanément obtenue au-dessus du motif recherché oblige à confirmer le succès, les cartes ayant été à nouveau mêlées. La réussite ne vous donnera l'espoir de grandes dispositions qu'après plusieurs essais, car une giration trop rapide, idoine ou non, peut supposer une attente superficielle, un désir dont l'intensité confine à l'autosuggestion ou à une motricité trop vive de la main. Dans l'une ou l'autre de ces éventualités, on veillera à approfondir la méthode, à ne pas penser aux girations en concentrant fort le regard sur le centre de la carte, à ne pas lancer le pendule qui se mouvra par lui-même.

On peut renouveler le procédé à propos de **trois chiffres** ou de **trois lettres** de l'alphabet, légèrement tracés sur des morceaux de papier rigoureusement identiques, à propos d'échantillons de **différents métaux**, dissimulés dans des boîtes indifférenciables, ou encore, de **papiers de couleurs**. L'emploi de témoins naturels devrait faciliter la recherche en raison de l'identité de rayonnement spécifique à chaque métal et à chaque couleur (rayon d'union), encore que nous y voyions plus généralement le moyen de maintenir la concentration de l'attention.

→ Préparer trois morceaux de papier, de couleurs différentes et de forme identique, dont les doubles exacts serviront de témoins. Les glisser chacun dans une enveloppe suffisamment opaque et que rien ne distingue des deux autres. Aligner les trois enveloppes, préalablement mélangées.

Après avoir décidé de la première couleur à chercher, la bleue par exemple, prendre le témoin bleu dans la main gauche, si on est droitier, et mettre le pendule en oscillations au-dessus de la première enveloppe, celle de droite ou celle de gauche.

— Expression du désir : « Je désire me rendre sensible à la présence de la couleur bleue ». Remarquez que les tenants de la radiesthésie physique parleront plus volontiers du « rayonnement de la couleur bleue ».

— Question : « Est-ce la couleur bleue ? »

— Aller d'une enveloppe à l'autre jusqu'à obtention des girations positives.

— Ne passer à une autre couleur qu'après plusieurs succès, chaque fois suivis d'une nouvelle distribution des enveloppes.

## Sensibilisation à l'eau
### (Méthodes applicables aux autres matières)

1° On se souviendra du saut de la baguette au-dessus de la canalisation. A présent, tenez-vous debout, près d'un seau rempli d'eau.

— Formulation du désir : « Je désire me rendre sensible à la présence de l'eau. »

— Pas d'interrogation puisqu'on sait qu'il s'agit d'eau.

— Il résultera de votre sensibilité pour l'eau, renforcée par la connaissance, que la baguette se relèvera brusquement.

— Même résultat si on avance dans la direction du seau rempli d'eau.

2° Vous avez, à présent, deux seaux dont l'un est rempli d'eau et l'autre vide. Vous faites appel à un tiers qui les dispose à environ un mètre l'un de l'autre et les recouvre, pour vous les dissimuler. Vous devrez les reconnaître en vous rendant sensible soit à l'un, soit à l'autre.

Dans les deux expériences précédant celle-ci, comme vous saviez que la baguette devait réagir, l'autosuggestion a imprimé à vos mains les mouvements adéquats. Maintenant, nous avons, au contraire, une réaction tout à fait inconsciente, revêtant donc une signification radiesthésique, encore que vous avez, au départ, une chance de réussite sur deux et que le premier résultat, vrai ou faux, influencera le second. C'est ce qui se passe également dans l'expérience que voici.

En votre absence, le tiers remplit deux récipients identiques d'une même eau qui sera cependant mêlée de sucre dans l'un, de sel dans l'autre. On remplit de même deux petits flacons qui vont servir de témoins. En raison de l'état d'attente particulier qu'elle impose, mobilisant ainsi toute l'attention, la baguette s'accommode-t-elle de témoins ? Vous en déciderez pour vous-même.

— Comme toujours, vous établissez votre convention mentale : « La baguette se relèvera au-dessus du récipient qui contient la même eau que celle du flacon-témoin. Dans le cas contraire, elle restera immobile. » A noter que le témoin est fixé au poignet, par un élastique, ou sous un auriculaire recroquevillé.

— Expression du désir : « Je désire me rendre sensible à la présence de l'eau sucrée (salée). »

— Interrogation : « Est-ce l'eau sucrée (salée) ? »

— Un petit test gustatif assure le contrôle des résultats.

De la réaction de la baguette, vous concluez que récipient et flacon ont le même contenu. Vous vous attendez donc à ce que la baguette reste immobile, en changeant de flacon. Puisque suspicion d'ordre auto-suggestif il y a, il convient de bien observer la différence entre mouvements spontanés et provoqués d'une part, de recommencer souvent l'expérience en intervertissant les variables récipient et flacon d'autre part. D'un écart statistique situant largement les succès par rapport aux échecs, vous pourrez conclure à vos progrès en radiesthésie, plutôt qu'au hasard.

Avant de passer à des exercices où cette part de hasard se trouve diminuée par l'élargissement de l'inconnu, on peut s'appliquer à **reconnaître une matière altérée** de manière éventuellement frauduleuse.

## Examen qualitatif par comparaison

Mêmes conditions que dans l'exercice précédent, sauf que, dans un cas, l'eau est additionnée de sel de cuisine, dans l'autre, de rien du tout.

— Expression du désir : « Je désire me rendre sensible à la présence de l'eau qui a été salée (ou pas). »

— Interrogation : « Est-ce de l'eau qui a été salée (ou pas) ? »

Par comparaison avec la matière originelle, on peut évidemment reconnaître d'autres altérations que celle de l'eau. Ainsi de feuilles de papier vierges, mais dont l'une porterait des inscriptions, mots ou dessin. A glisser dans des enveloppes identiques, préalablement mélangées. A l'aide du pendule cette fois, on va s'efforcer de retrouver successivement la feuille usagée et les feuilles vierges.

— Expression du désir : « Je désire me rendre sensible à la présence de l'écriture (du dessin) tracée sur une des feuilles de papier. »

— Question : « Est-ce une feuille écrite (dessinée) ? »

Mettez à présent une même quantité de café et de chicorée, moulus ou en grains, dans des sachets dont rien, dans la présentation, ne vous permet de soupçonner le contenu. Assis à la table, vous avez devant vous une grande croix tracée sur une feuille de papier et au-dessus du centre de laquelle, à quelques millimètres, vous laissez pendre votre pendule. L'immobilité de la masse est assurée par le vide de votre mental jusqu'à ce que, selon que vous pensez à du café ou à de la chicorée, elle se mette à osciller dans l'axe des branches horizontales ou verticales. Ou inversement. Si le fait de prendre un sachet dans la main gauche ou de le désigner avec l'index engendre un mouvement semblable à celui qu'a déterminé l'idée de café, on a affaire à du café pur. De même pour la chicorée.

### Vers une appréciation quantitative

Opérer divers mélanges de café et de chicorée, déposés dans différents sachets. Les montrer ou les prendre déclenchera des oscillations d'obliquités semblables à celles que le simple fait d'envisager les proportions contenues avait obtenues.

Le **séparateur de rayonnements** permet donc de prendre, pour une matière donnée, la mesure de la présence, totale ou partielle, de ses substituts imitatifs (beurre-margarine, cuir-simili, fibres naturelles-synthétiques, etc.).

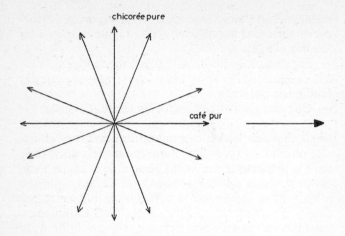

**Le séparateur de rayonnement**

### Exemple

La **méthode du rapporteur** affine notre évaluation des proportions si on a convenu que les oscillations tirant ostensiblement vers B ou vers A désignent du café pur ou de la chicorée seule. Que les oscillations se répètent dans le premier cadran ou dans le second, il s'agit d'un mélange à prédominance de café ou de chicorée. On peut dire que le mélange comporte ici plus de soixante-quinze pour cent de café.

Comme il est nécessaire d'élargir le champ de l'inconnu, la plus grande difficulté de l'exercice recommande de vérifier que vous satisfaites aux conditions psychiques de l'apprentissage. Savez-vous vous relaxer, concentrer votre attention sur l'objet de la recherche ? Avez-vous confiance dans vos potentialités psychiques ? Obtenez-vous des réflexes rapides et sûrs ?

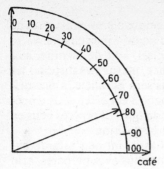

méthode du cadran : ici, on est en
présence d'un mélange qui
comporte plus de 75% de café

Rayon : ± 12 cm.

**Le rapporteur**

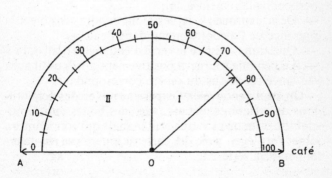

Rayon : ± 12 cm

Vous ne devez ni provoquer ni deviner la réponse qui
ressortit exclusivement à l'intuition provoquée et nullement à la raison, ni à l'imagination. La question que
chaque terme contribue à définir très précisément,
posée avec calme, attendra une réponse spontanée et
exempte d'ambiguïté.

→ Vous remplissez de la même eau *plusieurs* verres de
    format identique. Vous additionnez chaque verre
d'eau, soit de sucre, soit de sel, soit de menthe, soit
d'alcool, etc. En votre absence, un tiers va disposer les
verres sur une ligne qui vous sera parallèle, à une distance telle que l'écran aménagé à cet effet vous empê-
chera de les voir, étant entendu que des repères vous en
désigneront indistinctement la position.

Il serait souhaitable que l'assistant ne s'attarde pas
sur la nature des mélanges que vous avez préparés, afin
de ne pas vous influencer par suggestion mentale
inconsciente. C'est pourquoi, une fois retiré, il s'absor-
bera dans une occupation absolument étrangère à
l'opération. Latitude est laissée de s'aider de flacons-
témoins à tenir en main ou à poser successivement sur
chaque repère au-dessus duquel le pendule sera lancé
perpendiculairement à soi.

— Désir exprimé : « Je désire me rendre sensible à la
présence de l'alcool contenu dans l'eau. »
— Question : « Est-ce le verre d'eau mêlée d'alcool ? »
— Le pendule tournera positivement après qu'il aura
été lancé au-dessus du repère correspondant.

On peut renouveler l'expérience avec des échantillons de différents métaux, avec des boîtes indifférenciables, dont on rechercherait la seule qui contienne un
objet fort léger, avec des cartes à jouer dont on déter-
minerait la série, etc.


→ Vingt-sept enveloppes également opaques, absolu-
    ment identiques, vont accueillir chacune un mor-
ceau de papier, de dimensions à peine inférieures, qui
porte en son centre une des vingt-sept lettres de l'alphabet. On peut ajouter quelques enveloppes vides ou dont
le contenu est vierge de toute inscription. Mêler les
enveloppes avant que le pendule soit mis en oscillations
au-dessus du centre de l'une, prise au hasard.
— Expression du désir : « Je désire me rendre sensible
à la présence de toutes les lettres de l'alphabet représen-

tées dans ces enveloppes. »

— S'interroger sur le contenu de chaque enveloppe en énonçant, de minute en minute, la suite des lettres : « Est-ce la lettre A ? »... « Est-ce la lettre B ? »...

— A l'énoncé de la bonne lettre, le pendule tourne positivement.

→ On peut encore préparer une série de papiers portant chacun un prénom usuel masculin, une autre étant réservée aux prénoms féminins.

— Expression du désir : « Je désire me rendre sensible aux caractères constitutifs des différents prénoms masculins inscrits dans ces enveloppes. »

— Question : « Est-ce Marcel ? » Dans le cas pratique d'une personne à identifier, on dira : « Cet homme se prénomme-t-il Marcel ? »

→ Reprenant enfin notre jeu de cartes, nous en extrayons cette fois toute la série des carreaux, à mêler soigneusement et de laquelle nous tirons une carte au hasard. Nous posons celle-ci, motif contre table. Le pendule oscillant au-dessus de son centre, nous allons, de minute en minute, énoncer les valeurs, dans leur ordre de croissance.

— Expression du désir : « Je désire me rendre sensible à la présence et à la valeur de la carte posée sur la table. »

— Questions : « Est-ce le 1 de carreau ? »... « Le 2 de carreau ? »...

— A l'énoncé de la bonne valeur, le pendule tourne positivement.

Moyennant progression, on peut espérer reconnaître un jour n'importe quelle carte de jeu, la recherche donnant lieu alors à des questions en cascades, couleurs-séries-valeurs.

## *Exercices de recherche*

Ayant trait à des objets volontairement cachés dans un espace assez restreint, ils trouveront une application dans la recherche d'**objets perdus ou volés.**

**1.** Vous chargez un tiers de transporter à votre insu et dans un lieu tout proche, un récipient rempli d'eau. Vous lui demandez cependant de rester dans le même plan horizontal, car nous ne savons encore rien de la prospection sur plan vertical.

— Baguette en mains, formulez votre désir puis, fort doucement, pivotez sur vos talons joints, en pensant fortement au récipient d'eau. Au moment où elle se placera dans la direction du lieu où il se trouve, la baguette sautera, comme convenu, vers le haut. Le pendule aurait oscillé dans la même direction, à moins d'avoir convenu qu'il tourne positivement quand l'indiqueront le bras et la main libres tenus en antenne, autrement dit, tendus en avant.

— Vérifiez et recommencez jusqu'à obtenir un succès répété, en faisant changer plusieurs fois le récipient de place.

**2.** Vous demandez à quelqu'un de dissimuler un objet dans une chambre déterminée. Ou, l'y ayant déposé, vous ne vous souvenez plus de l'endroit précis.

Si vous ne disposez pas d'un témoin naturel, objet ou matière, vous écrivez le nom de l'un ou de l'autre sur un bout de papier. Un dessin aussi précis que possible ferait également l'affaire.

— Posez le témoin sur une table.

— Le pendule mis en oscillations est déplacé autour du témoin, à quelques centimètres de distance.

— A un certain moment, les oscillations vont s'arrondir dans le sens des aiguilles d'une montre. Allez fort lentement jusqu'au point où les girations seront devenues parfaites.

— Marquez de repères, sur la table, le centre du témoin et le point de chute verticale du pendule à l'arrêt. Par eux, passe une ligne dont un point, qu'il vous faut situer, détermine la verticale sur laquelle l'objet se trouve.

— Placez le témoin en un autre point de la table, qui soit le plus latéralement éloigné du premier, et opérez de même.

— Les lignes imaginaires, passant par chaque couple de repères, se coupent dans un de leurs prolongements.

Même désir et même question à chaque étape de l'opération, l'objet étant nommément désigné.

**3.** Le Gall préconise, pour une première recherche, un dessin personnel, dont un morceau sera caché et dont l'autre, tenu dans la main libre, servira de témoin. L'originalité inhérente à la création personnelle supprime en effet l'erreur d'objet, à savoir le fait de trouver quelque chose d'identique, en même temps qu'elle porte à une attention optimale et ne se satisfait pleinement que d'elle-même.

**4.** Une de vos connaissances, qui a égaré sa chevalière, vous demande de l'aider à la retrouver. De manière à vous imprégner mentalement du bijou, vous vous informez aussi précisément que possible de sa forme, du nombre de carats contenus dans son or, du tracé des initiales, etc. Vérifiez les hypothèses relatives à la localisation de l'objet.

— Expression du désir : « Je désire me rendre sensible à la localisation actuelle de la chevalière qui appartient à X. »

— Question : « La chevalière de X se trouve-t-elle à présent dans son appartement ? »

— Si oui, girations positives.

Obtenez de pouvoir travailler à l'abri de toute gêne

ou de toute influence. En vous assurant de la présence éventuelle de l'objet dans chaque pièce, coin, couloir et réduit, vous ferez une visite authentiquement radiesthésique du lieu, c'est-à-dire systématique et complète. La question portera sur la présence *actuelle* du bijou dans *tel* lieu. Exemple : « La chevalière de X se trouve-t-elle maintenant dans la cuisine ? »

Voici une variante aux méthodes précédemment décrites.

Se tenir au milieu de la pièce. Le bras tendu en avant balaie tout l'espace de son mouvement circulaire que vous pourrez entretenir en pivotant sur vous-même. A un certain moment, les girations positives du pendule arrêteront la direction donnée par le bras et dans laquelle vous resterez tourné. Après avoir arrêté le pendule, relancez-le et explorez de haut en bas. De nouvelles girations indiqueront la hauteur à laquelle l'objet se trouve. Il vous reste à opérer identiquement à partir d'un point qui ne soit pas trop proche. Les deux directions coplanaires se coupent là où devrait aboutir la recherche.

Ajoutons que la nécessité de toujours fixer préalablement la méthode n'empêche pas de faire suivre l'énoncé de la question du rappel de la convention. En ce cas : « Le pendule tournera positivement quand mon bras indiquera la direction. »

DEUXIÈME PARTIE

---

# Premières applications

# CHAPITRE I

# Techniques de la recherche
# sur le terrain

On sait qu'un souci de discrétion et de calme, l'inconvénient de déplacements trop longs ou trop fastidieux, incitent la plupart à opérer à distance, à effectuer des recherches en chambre. Or, nous le verrons, la téléradiesthésie requiert des qualités particulières, dont l'apprentissage s'ajoute à celui, combien primordial, de la radiesthésie proprement dite.

La recherche sur le terrain s'accompagne de techniques que la réaction plus franche des instruments, encouragée et maintenue autant que nécessaire, devrait aider à acquérir.

Nous convions à vous y entraîner, si possible, dans le silence de la nature et sur des reliefs pas trop inégaux.

## L'orientation

Elle sert à trouver sa route, directement ou grâce au nord géographique, et plus spécifiquement, à localiser la recherche sur un plan ou sur la carte. Si on est sans instrument, la fortune des lieux permettra d'en confectionner un.

— Choisir un endroit quelque peu découvert.
— Rester neutre de toute impression, de toute hypothèse de vraisemblance : se mettre en situation d'égarement total.
— Le corps droit, mettre le bras gauche en antenne, à l'horizontale.
— Expression du désir, lentement répétée : « Je désire me rendre sensible à la direction du nord. »
— Le pendule mis en légères oscillations, on pivote lentement sur ses talons joints. Les pieds sont rapprochés, les jambes droites et les jarrets souples. Conserver le même sens de rotation sur soi-même, pour toutes les opérations où le bras libre sert d'antenne : sens des aiguilles d'une montre pour les droitiers, sens inverse pour les gauchers.
— Chaque halte, assez brève, s'accompagnera de la question : « Est-ce la direction du nord ? »
— Quand le bras en antenne indiquera celle-ci, le pendule tournera conformément à la convention solidement établie.
— Contrôler les résultats avec la boussole.

La même opération peut se faire à l'aide de la baguette maintenue de telle sorte que le regard rencontrant la flamme[1] porte suffisamment loin. Repérez immédiatement la direction au moment précis de la saute. Au cas où celle-ci vous aurait surpris, revenez légèrement

1. Ou pointe de la baguette.

en arrière en tournant lentement le buste seul.

Certains radiesthésistes opèrent de même avec le pendule lancé cette fois en rotations et dont les oscillations survenues suffisent à indiquer le nord. Remarquons cependant qu'elles indiqueront tout autant le sud et que le maintien de rotations impose dès l'abord un geste peu naturel, qui contrarie l'authenticité du réflexe.

Vous pouvez vous exercer à trouver le nord en différents points d'une maison, qui vous cachent la position du soleil. L'obtention de pointés parfaits est également importante dans la recherche sur carte ou sur plan parce qu'il s'agit de mesurer dans une direction et sur un point précis.

Il se peut que vous recherchiez tout simplement la direction d'un lieu à atteindre. Il vous suffit alors de le préciser dans l'expression du désir et dans la question. Attention toutefois de ne pas la confondre avec le chemin qui semble l'emprunter et dont les détours souvent trompeurs risqueraient de vous égarer. C'est pourquoi vous parlerez plus précisément de « la route qui mène à tel ou tel endroit ».

## Recherche de l'emplacement d'objets sur le sol

### La direction

**A.** Reprenons l'exercice qui consiste à retrouver un récipient d'eau, caché aux alentours par un tiers.

Servez-vous ou non d'un témoin-eau et convenez cette fois que la baguette tournera ou que le pendule oscillera quand vous vous déplacerez dans la direction de l'eau. Dans un espace relativement réduit, votre démarche ne sera pas longue.

**B.** Rendez-vous à présent sur un terrain plus ou moins régulier, qui permette à un ami de dissimuler un objet à vos regards. Admettons qu'il s'agisse de votre stylo en argent. Les mêmes procédés, également proposés par Le Gall[1], vaudront pour la baguette.

### 1° Détermination du point approché

— Se placer en un point quelconque du terrain et regarder fixement le centre de l'espace à explorer.
— Mettre sa main libre en antenne.
— Expression du désir, répétée plusieurs fois et à intervalles : « Je désire me rendre sensible à la présence de mon stylo en argent. » Ne cesser de se le représenter

1. Lire *Toute la Radiesthésie en neuf leçons,* Dervy-Livres.

aussi nettement que possible. Ne rien imaginer ou deviner, qui altère la neutralité.

— Tourner lentement sur ses talons, étant entendu que le pendule, oscillant légèrement, tournera quand la main libre sera dans la direction de l'objet.

— S'arrêter en questionnant chaque fois : « Mon stylo en argent se trouve-t-il dans cette direction ? »

— Matérialiser la direction indiquée par le bras libre, en faisant planter quelques piquets par votre ami.

— Se placer à un autre point du terrain, à quatre-vingt-dix degrés environ du précédent, et recommencer la même opération.

— Matérialiser de même la nouvelle direction.

— A l'intersection des deux, se trouve le point approché, qu'on marque d'un piquet.

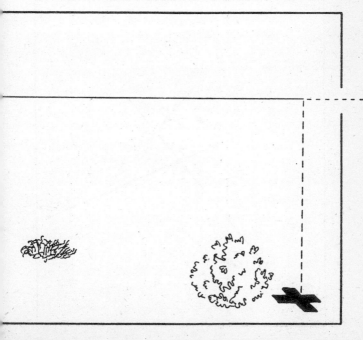

La localisation précise résultant de courtes visées qui se coupent à angle droit, celle-ci ne peut être qu'approximative.

## 2° Amélioration du point approché

Au cas où un regard circulaire ne suffirait pas à découvrir l'objet, placez-vous à quelques mètres du piquet qui aura été enlevé, et obtenez cette fois des visées courtes, se coupant à angle droit. Malgré que l'objet doive se trouver dans les environs tout à fait immédiats du nouveau point d'intersection, également marqué d'un piquet, il se peut que vous ne le voyiez toujours pas.

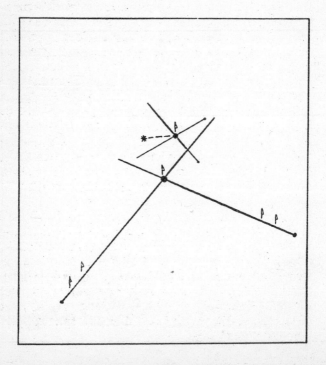

### 3° Détermination du point précis

De nouveau, vous vous placez à quelques mètres du piquet, enlevé à son tour. De la même manière, vous cherchez une nouvelle et unique direction, le long de laquelle votre pied droit va cheminer régulièrement. Vous aurez convenu de la concomitance entre les girations et la pointe qui effleure l'emplacement précis. Eventuellement, creusez un peu.

En usant des mêmes techniques, vous ferez néanmoins précéder votre travail sur inconnu, d'**opérations sur des objets à vue**. L'autosuggestion entrera, encore une fois, pour beaucoup dans ce qui ne serait qu'une simulation si on ne s'appliquait pas honnêtement à se concentrer et à attendre le réflexe. Cette première opération présente le mérite de mesurer les contraintes mentales de l'apprentissage.

Nous attirons l'attention sur les secousses mécaniques liées à la marche, susceptibles de déclencher le réflexe sans qu'il y ait rien à détecter. Plutôt que de marteler le sol, on marchera donc **à pas feutrés et réguliers** ; plutôt lents aussi, afin de ne pas manquer le réflexe ni augmenter le retard de sa production. Car, comme il y a généralement retard, on a intérêt à venir également de la direction opposée et à considérer la moyenne entre les deux points trouvés.

Les qualités de la marche se trouvent parfaites dans la phase de détermination du point précis où se trouve l'objet. Sur une distance fort heureusement courte, nous glisserons le même pied dont le bout testera, un à un et fort lentement, les points constitutifs de la ligne. C'est dire que la question sera constamment répétée jusqu'à ce que les girations se déclenchent. A noter qu'une éventuelle fragilité de l'objet peut faire préférer l'emploi d'une canne.

• Signalons enfin **un procédé particulièrement rapide**, dont on ne peut se servir qu'en **terrain découvert** et **peu accidenté**.

Lorsque les girations manifestent que le bras en antenne indique la direction, on l'abaisse lentement en convenant que de nouvelles girations se produiront au moment où il visera l'emplacement sur le terrain. A chaque halte, poser la même question : « Mon bras indique-t-il la direction de l'endroit où se trouve tel objet ? » On envisage donc la ligne qui prolonge le regard au-delà de l'extrémité de la main. Si celle-ci, éventuellement munie d'une canne ou d'un bâton, tombe nettement plus bas que les yeux, la visée sera courte, qui permettra de partir d'une seule station pour

trouver l'objet. Sinon, il faudra opérer de même, à partir d'un autre point qu'une première approximation nous aura désigné selon la nécessité d'obtenir une intersection à angle plus ou moins droit. Idem pour l'amélioration du point approché.

## La distance

Il reste que des localisations trop lointaines et les obstacles qui nous en séparent, exigent que nous évaluions préalablement la distance. Nous ne conviendrons pas, comme certains, de l'évaluer suivant le nombre des girations, parce que les mouvements du pendule ne doivent pas nous obséder et qu'il y a risque de se tromper.

## Entraînement aux comptages

Nous admettons que la connaissance de toutes mesures par notre inconscient relève du type de rayonnements que sa faculté motrice lui fait percevoir globalement, et non d'après les différents étalonnages fixés par la raison pratique. C'est pourquoi nous proposerons qu'une traduction en certaines unités de mesure soit conventionnellement livrée à la conscience.

Voulant mesurer une longueur, par exemple, vous évoquez lentement les différentes unités. « Dois-je compter en millimètres ?... en centimètres ?... en mètres ?... » Le pendule tournera positivement à l'énoncé de l'unité qui convient.

• Pour la mesure elle-même, se servir d'un **disque** qu'on peut confectionner soi-même.
— Tenir le pendule au-dessus du centre.
— Expression du désir.

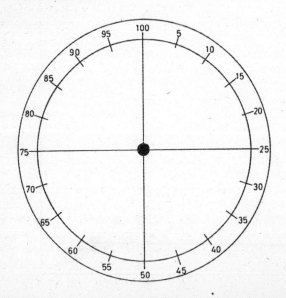

— Question.
— Le pendule oscille vers un point de la circonférence qu'il précise aussitôt qu'on l'y transporte.

Avant d'opérer des comptages sur le terrain, profitez de chaque occasion que donne la vie d'intérieur, pour vous entraîner à la mesure des différents objets qui vous entourent, de leurs dimensions, de leur poids, de la distance qui les sépare. Vous pouvez choisir votre étalon au jugé ou grâce au pendule, avec contrôle réciproque. Vous vérifierez aussitôt le résultat obtenu à l'aide d'une règle, d'un mètre ou d'une balance de cuisine. Lorsque votre maîtrise sera avérée, envisagez des objets toujours plus éloignés, en ne négligeant jamais ce contrôle qui permet à l'inconscient de se corriger.

### • La règle universelle

Plutôt que d'une règle ou d'un mètre ordinaires, on se servira d'une règle dite « universelle » en ce que, graduée de 0 à 100 d'un côté et de 200 à 1000 de l'autre, elle permet toutes les mesures, de quelque importance et de quelque nature qu'elles soient. Elle sert en effet à toutes les recherches où intervient un problème de quantification, sa double graduation prenant les significations les plus variées selon la spécificité du problème et la convention mentale adoptée.

Prenons donc l'exemple d'une distance à établir dans une recherche sur le terrain. Nos visées successives attestent bien qu'elles se coupent au loin. Le pendule ayant proposé l'hectomètre comme étalon, admettons que, promené le long de la graduation des centaines, il réalise entre les graduations « cinq cents » et « six cents ». Il va de soi que nous allons obtenir davantage de précisions en adoptant désormais l'unité-mètre. Admettons que, promené cette fois le long de la graduation des unités, le pendule réagisse entre « trente » et « trente-cinq ». « Cinq cent trente à cinq cent trente-cinq mètres » constitue une bonne approximation.

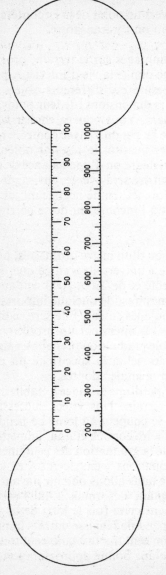

**La règle universelle**

• **Méthode améliorée**

— Choix des unités de mesure successives : le pendule tournera à l'énoncé de celle qui convient.

— Mais, plutôt que de faire parcourir au pendule la longueur de la règle, convenir d'attendre que, légèrement lancé en oscillations, il se mette à tourner au moment où notre regard se pose intuitivement sur le chiffre qui exprime la distance. A cet effet, ne pas essayer chaque chiffre d'un bout à l'autre de la graduation, mais porter l'attention par à-coups, d'une dizaine ou d'une centaine à l'autre, et se demander si la distance est inscrite à l'intérieur de cet espace qu'il ne reste plus qu'à explorer, en cas d'affirmation.

## Recherche d'objets enfouis

Vous demandez à un ami d'aller enfouir, en un endroit quelconque de tel terrain, un objet de son choix. Ayant déterminé direction et distance, vous êtes à présent au-dessus du lieu supposé de l'enfouissement. Il vous reste encore à connaître la nature de l'objet et la profondeur à laquelle il se trouve.

### Nature de l'objet

— Le pendule oscillant ou la baguette en attente, vous répétez, à intervalles réguliers, l'expression de votre désir : « Je désire me rendre sensible à la présence de l'objet enfoui sous mes pieds. »

— L'index de la main libre pointé verticalement en antenne vers le sol, on va d'abord définir l'objet en allant du général au plus particulier, de la catégorie à laquelle il appartient à sa spécificité. Par exemple : « L'objet est-il un outil ? » Si oui, « cet outil sert-il à couper ? » Si oui, « s'agit-il d'un couteau ? » Etc.

Dès lors que la catégorie a été précisée, on peut déjà chercher les substances qui entrent dans la composition de l'objet, à condition de n'en envisager qu'une seule à la fois. Comme Yves Rocard lui-même admet que les métaux rayonnent, les prochaines interrogations énuméreront les plus couramment employés, jusqu'à ce que le pendule tourne à nouveau. On pourra conclure au caractère non métallique de l'objet si la question, répétée plusieurs fois et à raison d'une à la minute, n'empêche pas les oscillations de persister. Reprenons : « L'objet enfoui sous mes pieds est-il un outil ? » Si oui, expression du désir : « Je désire me rendre sensible au *rayonnement* de l'objet enfoui sous mes pieds. » « Est-il métallique ? »... Si oui, « est-il en fer ? » Etc., etc.
— Recommencer pour obtenir confirmation.

## Profondeur

— Thèse : tout point d'eau souterrain, tout corps métallique enfoui, tout gisement, émettent certain rayonnement.
— Hypothèse que la pratique a érigée en principe : indépendamment du rayonnement qui suit la projection verticale ascendante du corps, il en est un de quarante-cinq degrés d'inclinaison, dont la propagation vers le haut forme une surface conique renversée. Il s'ensuit que l'émergence au sol représente une circonférence dont le centre se mesure à la verticale de la matière.

Les angles BAD et CAD étant des demi-droits, on déduit que AD = BD = CD ou que $AD = \dfrac{BC}{2}$. La profondeur est donc égale au rayon de la circonférence que les points d'émergence du rayonnement forment sur le sol.

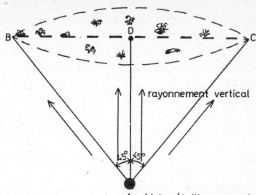

A objet métallique ou point d'eau

A retenir que, sauf pour l'or, l'intensité du rayonnement, et donc sa perception, sont inversement proportionnelles à la masse de l'objet et à la durée de son enfouissement. D'où l'utilité toute particulière d'y être sensible.

→ Soit un objet en fer, enfoui en un point marqué par un piquet. Admettons, pour l'application du principe, qu'il est de petite taille et de forme assez régulière.

— Le pendule oscillant ou la baguette en position d'attente, encadrer le piquet de ses deux pieds.

— Expression du désir répétée à intervalles réguliers : « Je désire me rendre sensible au rayonnement de l'objet en fer, enfoui sous mes pieds. »

— Reculer fort lentement dans une direction quelconque, à tout petits pas ou en glissant le pied droit. A chaque arrêt, interroger : « A quelle profondeur se situe l'objet en fer ? »

— Comme convenu, les oscillations se transformeront en girations ou la baguette sautera.

— S'arrêter à ce moment et, à ses pieds, planter un nouveau piquet ou déposer un repère.

— Mesurer la distance parcourue.

# CHAPITRE II

## La sourcellerie

*Un homme bien habillé déambule à travers une prairie de sa ferme, une baguette fourchue serrée entre ses mains retournées. Des spectateurs le raillent. Concentré sur la baguette, il les ignore. Près d'un coin du champ, la pointe de la baguette tourne vers le bas, comme attirée par une force surhumaine. Il marque soigneusement l'endroit, fait appel à un bon puisatier à qui il annonce qu'il y a de l'eau là, beaucoup d'eau, à cent vingt-cinq pieds environ. Le puisatier hausse les épaules.*

*« Voici votre argent ! »*

*Et le travail commence.*

*Plus tard, une rumeur se répand :*

*« Nous avons découvert une rivière souterraine ! A cent vingt-sept pieds. De l'eau en suffisance pour toute la ville. »*

*C'est ce qui est arrivé à Joseph Baum, agent publicitaire à Hartford, dans le Connecticut, quand il eut besoin d'eau pour sa ferme. D'abord sceptique, Baum changea d'avis en 1950, après avoir consenti à accom-*

pagner un ami dans une expédition radiesthésique. Les gens le qualifieraient bientôt de sourcier, de devin, de sorcier, ...

Jusqu'au dernier été, il y avait si peu d'eau à New Sharon, petite ville du Maine, que les habitants étaient contraints à un seul bain hebdomadaire. En cinq ans, la ville avait dépensé cent quatre-vingt mille dollars d'avances fédérales, en études géologiques et en forages inutiles. En dernier ressort, les autorités locales engagèrent un sourcier professionnel, pour cinq cents dollars. Armé de sa baguette, il localisa rapidement un point. Quand on creusa, le puits donna toute l'eau dont la ville avait besoin.

Le centre régional de santé Shoreline d'Essex, dans le Connecticut, d'une valeur d'un million de dollars, était sur le point d'être achevé en 1975. Malgré une dépense de plusieurs milliers de dollars, les ingénieurs n'avaient pu obtenir suffisamment d'eau des quatre puits forés aux endroits les plus hydrologiquement prometteurs. Un sourcier local offrit spontanément ses services. En suivant la traction de sa baguette fourchue, en fibre de verre, il se dirigea vers l'arrière de la propriété. Là, la baguette s'agita subitement vers le sol. On commença à forer un puits et il y eut bientôt une source qui donnait vingt gallons à la minute, soit beaucoup d'eau pour la nouvelle clinique.

La société américaine de radiesthésie estime que près de deux cent cinquante mille puits d'eau, forés sur la côte atlantique depuis l'époque coloniale, ont été localisés grâce à la sourcellerie. Aujourd'hui, tout comme Baum, quelque vingt-cinq mille personnes pratiquent l'art de la baguette aux Etats-Unis, où des millions d'autres encore sont aptes...

De telles relations[1], si nombreuses à travers le monde, deviendraient banales si la nécessité de l'approvisionnement en eau ne croissait sans cesse. Au point que, comme les minerais et le pétrole, les courants d'eau souterrains font officiellement l'objet, en Union soviétique, d'une recherche radiesthésique que les scientifiques ont appelée «méthode biophysique».

De fait, la pratique de la rhabdomancie remonte à des millénaires. Les archéologues ont trouvé, dans les montagnes de l'Atlas, une caverne vieille de huit mille ans, dont la peinture murale représente un sourcier, baguette divinatoire en mains, que des spectateurs entourent. L'idée d'un bâton magique a peut-être commencé avec la baguette du sourcier. Moïse n'en aurait-il pas frappé le rocher pour faire jaillir l'eau dans le désert ?

Faculté de porter un jugement de valeur sur tout problème posé par la recherche, la radiesthésie moderne ne peut se départir de connaissances dans les domaines auxquels elle s'applique et qui sont ses sciences auxiliaires. Pourrait-on, de même, écrire l'histoire de l'économie sans rien connaître de celle-ci, par exemple ?

La question n'étant pas tant de savoir, ici, si un terrain contient de l'eau — puisqu'il s'en trouve partout — que de préciser l'endroit le meilleur quant à la profondeur du forage et au débit souhaité, **quelques notions de géologie et d'hydrologie** s'imposent donc :
— aspect des formations d'eau dans le sous-sol ;
— nature et structure du sous-sol : ainsi, si l'eau s'écoule dans les *synclinaux* dont les couches forment une cuvette par rapport à la surface, elle s'échappe en revanche au sommet des *anticlinaux* ;
— perméabilité et imperméabilité des terrains, dont nous reparlerons.

1. Dans D'AULAIRE, E and P.O., *The Forked-Stick Phenomenon (Le Phénomène de la baguette fourchue)*, Reader's Digest, May 1976, pp. 135-138.

On voit cependant bien l'écueil qu'il y a, ici comme ailleurs, à se laisser suggestionner non seulement par les apparences, mais aussi par un savoir trop établi. Pas de préjugé exploratoire donc, ni favorable à une vallée verdoyante, ni défavorable à un coteau aride ou élevé, par exemple.

A force de persistance, vous avez réussi l'essentiel des exercices de formation. Le professeur Rocard reconnaît que la sensibilité à l'eau est la plus communément partagée. Tant mieux puisqu'elle donne lieu à la recherche la plus ancienne et sans doute la plus noble !

L'occasion vous est donnée de recouvrer cet instinct originel, que les animaux ont conservé, pour leur part. A l'égal de la plupart d'entre eux qui évitent de dormir au-dessus d'un sous-sol aqueux, des éléphants capables de localiser des courants souterrains, en période de sécheresse, ou des moustiques dont le vol en colonne et à hauteur fixe révèle, certains soirs d'été, l'existence d'une source cachée ou d'un petit courant proche de la surface, vous obtiendrez une réaction de la baguette, d'intensité proportionnelle au volume et à la proximité de l'eau. A moins que vous ne soyez apte, comme certains, à percevoir des vapeurs révélatrices de sa présence...

## Intérêt de la méthode radiesthésique

Il faut savoir que, si le processus physique et mental de la recherche est ici conservé, l'eau fluente engendre un champ électro-magnétique mesurable par le magnéto-mètre et immédiatement perceptible par les sensitifs. A l'approche d'un courant d'eau souterrain, certains sourciers ressentent, en effet, des troubles physiques caractéristiques, comme les crispations nerveuses et l'accélération du rythme cardiaque.

On imagine mal, cependant, que le magnétomètre,

fort sensible et précis, dont la mise au point exige un maximum de rigueur et qui n'enregistre guère plus que dans un rayon d'un mètre, à la verticale du point d'eau, serve exclusivement à contrôler, sur place ou à distance, un tracé souterrain, radiesthésiquement établi.

## Exercices de sensibilisation à l'eau : rappel

L'obtention d'un pourcentage suffisamment élevé de réussites dans ces exercices « à blanc » doit absolument précéder la recherche sur inconnu total.

Complétez par un exercice de sensibilisation à la présence visible et naturelle d'une eau fluente qu'il vous est loisible d'enjamber ou de traverser. Approchez-vous de son cours, étant entendu que le pendule préalablement lancé ne cessera de tourner positivement tant que l'autre rive n'aura pas été dépassée. Après quoi, les oscillations caractéristiques de l'état d'attente reprendront. Soyez convaincu qu'il en ira de même à propos d'une eau souterraine.

# Recherche de l'emplacement

## Par exploration du terrain

Dans le cas d'un terrain de petites dimensions (moins de cent mètres de côté).

### D'une manière générale

Méthode inspirée de la théorie du rayonnement, rapportée ci-dessus : le témoin éventuel est constitué d'un petit flacon d'eau.

— Marcher droit devant soi, et lentement, jusqu'à ce que, comme convenu, la baguette tenue un peu haut se relève ou que le pendule se mette à osciller *parallèlement* au courant d'eau : cette première réaction prévient qu'on entre dans la zone d'influence de l'eau, en A.

— Continuer d'avancer : les instruments se sont remis au repos quand, parvenus au-dessus du courant d'eau, en B, ils réagissent de la même manière qu'en A, mais plus intensément.

— En traversant le courant d'eau, de B à B', la baguette se relève et s'abaisse alternativement ; le pendule entre en girations positives.

— En B', soit sur l'autre bord, les instruments s'arrêtent pour reprendre en A' les mêmes mouvements qu'en A, avant de s'arrêter définitivement hors zone d'influence.

### Détermination du sens du courant

— *Expression du désir :* « Je désire me rendre exclusivement sensible au rayonnement vertical de l'eau fluant dans le sol. »

en A,B,B',A' : oscillations
parallèles au courant d'eau
de B à B' : girations positives

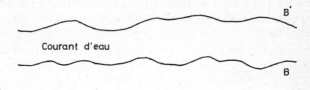

Courant d'eau

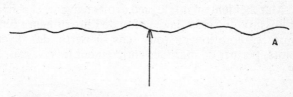

— *Interrogation* mentalement répétée à chaque pas :
« L'eau est-elle ici ? »

— *Convention :* « Pivotant lentement sur mes talons,
je serai face à l'amont quand la baguette se relèvera...
quand le pendule tournera positivement ; face à l'aval,
si la baguette s'abaisse... si le pendule oscille dans le
sens de l'écoulement de l'eau. »

En remontant et en descendant le courant, on peut
déterminer ainsi le tracé des rives, en-dehors desquelles
les instruments restent sans réaction.

## De manière plus simple et plus rapide

— Marcher droit devant soi, et lentement, jusqu'au bout du terrain.

— La baguette est tenue en position d'attente, de même que le pendule qu'on préférera peut-être lancer légèrement.

— Convenir que la baguette sautera vers le haut ou que le pendule tournera positivement quand on se trouvera au-dessus d'un cours d'eau souterrain.

— S'arrêter dès la réaction de l'instrument et indiquer l'endroit à l'aide d'un piquet.

— En allant de bout en bout, vous parcourrez d'autres lignes, en plusieurs points desquelles vous aurez localisé l'eau.

## Tracé des rives

— Se placer à un des points marqués et convenir que la baguette ne cessera de sauter ni le pendule de tourner tant qu'on se trouvera au-dessus de l'eau souterraine.

— Marcher lentement, le pied droit en avant, et s'arrêter aussitôt que cesse la réaction de l'instrument : cette courte exploration en tous sens, à partir des divers points, permet de marquer entièrement les rives sur le sol.

## Sens du courant

Une des utilités consiste à savoir si on doit creuser quand le point d'eau se situe, par exemple, en aval d'un facteur de pollution : ne pas se laisser abuser par la pente du terrain.

— Instrument en main, se placer au milieu du courant d'eau : le pendule doit nécessairement tourner.

— Marcher lentement en suivant le tracé du cours d'eau représenté sur le sol.

— Faire demi-tour après quelques mètres et revenir, d'un même pas, au point de départ.

Le pendule tourne le plus vite et la baguette saute le plus vivement en remontant le courant puisque c'est alors qu'à égale vitesse de progression, on rencontre le plus d'eau. Il arrive même que, rétablie après chaque tour dans son équilibre instable, la baguette ne cesse d'être mue ainsi qu'une roue de moulin, par le courant.

Les instruments auraient, par contre, tendance à s'immobiliser en allant dans le même sens que l'eau.

## Par projection de la pensée, au départ d'un point fixe

Dans le cas d'un terrain trop grand à parcourir.
1° Se placer en bordure du terrain à explorer, sur un point quelconque, A.
— Pendule dans la main droite, étendre le bras gauche en antenne, en convenant que les girations positives correspondent avec la direction indiquée par la main gauche ; à moins que, s'agissant de la baguette, la visée s'arrête à l'instant précis de la saute.

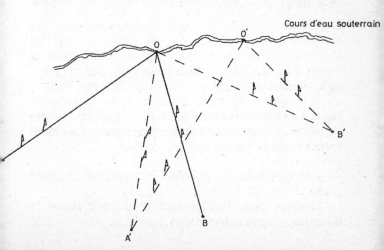

Cours d'eau souterrain

— Pivoter lentement sur les talons en interrogeant : « Est-ce la direction de l'eau ? »

— Que l'instrument ne réagisse pas malgré qu'on ait tourné quelques fois sur soi-même, signifie un manque d'eau dans les environs.

— Au moyen de piquets, matérialiser la ligne imaginaire partie de A, passant par la main gauche ou la flamme de la baguette, et prolongée au besoin.

2° Se placer en un autre point B, suffisamment éloigné, et faire comme en A : marquer soigneusement la deuxième direction.

3° A l'intersection O, se trouve le point d'émergence du rayonnement vertical de l'eau, qui correspond à la rive la plus proche.

4° Comme précédemment indiqué, établir la largeur, le tracé et le sens d'écoulement de l'eau.

5° Contrôler éventuellement en renouvelant l'opération à partir de deux autres points A' et B' : le point d'intersection pourra se trouver en O ou en tout autre point d'émergence du rayonnement vertical de l'eau (O').

→ **A noter**

Les terrains les plus fortement perméables sont soit sablonneux, soit granitiques ou calcaires. Que les sables soient noyés ou seulement humides, l'eau se trouve à l'état capillaire ou à l'état pelliculaire. Quant aux granites et calcaires coupés de fissures, l'eau y coule librement, formant des cours et des lacs souterrains. La radiesthésie tend à établir le tracé des **fissures aquifères**, à la rencontre desquelles se situent **les meilleurs points de forage**.

— Comme ci-dessus, chercher la direction du point d'eau.

— Convenir que l'instrument donnera d'abord la direction perpendiculaire à la fissure aquifère la plus importante, puis celle perpendiculaire à la fissure secondaire.

— Marcher successivement dans les directions obtenues, en convenant chaque fois que l'instrument signalera le passage au-dessus de la première rive de la fracture, puis au-dessus de la seconde.

— Connaissant la largeur des fractures et leurs directions qui se recoupent au point d'eau, rechercher le sens de l'écoulement de l'eau : marcher le long d'une fracture en admettant que l'instrument ne réagira que lorsqu'on remontera le courant.

## Mesure de la profondeur

Revenons au principe exposé à propos de l'évaluation de la profondeur d'enfouissement des objets. En opérant sur un terrain plat, qui couvre un sol homogène, on peut admettre que les distances entre BA et B'A' étant égales, on puisse mesurer la profondeur d'un côté ou de l'autre du cours d'eau. On prendra garde cependant à la présence de plusieurs courants de circulation presque parallèle et que de faibles distances séparent.

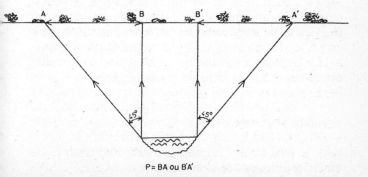

P= BA ou B'A'

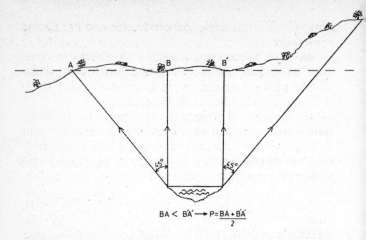

$$BA < B'A' \longrightarrow P = \frac{BA + B'A'}{2}$$

Dans le cas d'un terrain en pente, il y a inégalité des distances obtenues de part et d'autre de chaque rive, de sorte que la profondeur résultera de leur moyenne arithmétique.

### Le fil de profondeur ou méthode horizontale

Elle s'inspire du même principe.
— Enfoncer un piquet métallique au milieu du courant d'eau.
— Y fixer un fil de cuivre qu'on développe perpendiculairement au cours d'eau ; des isolateurs de verre, fixés sur de petits piquets en bois, le supportent de place en place afin d'empêcher qu'il ne traîne sur le sol.
— Le pendule oscillant ou la baguette en position d'attente, encadrer le fil de ses deux pieds.
— Expression du désir, répétée à intervalles réguliers : « Je désire me rendre sensible au rayonnement de l'eau circulant sous mes pieds. »
— Reculer fort lentement, à tout petits pas ou en glissant le pied droit ; à chaque arrêt, interroger : « A quelle profondeur se situe l'eau ? »

— Quand on a parcouru une longueur de fil égale à la profondeur de l'eau, les oscillations se transforment en girations ou la baguette saute, comme convenu.
— S'arrêter et planter un nouveau piquet.
— Mesurer la distance parcourue.

**Remarques**

— En testant différents témoins sur le parcours du fil, on peut relever l'existence des couches géologiques correspondantes.
— Le fil n'est rien d'autre qu'un accessoire à pouvoir autosuggestif, qu'un témoin de la profondeur : on peut convenir, en effet, qu'à telle fraction de sa longueur correspond telle profondeur.

**Exemple**

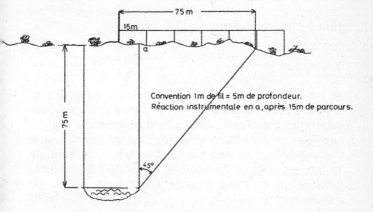

Convention 1m de fil = 5m de profondeur.
Réaction instrumentale en a, après 15m de parcours.

De même, pourra-t-on concevoir que l'instrument déplacé le long d'un mètre réagira après avoir parcouru un nombre de centimètres équivalant à la profondeur exprimée en mètres.

## La méthode verticale

— Convenir qu'à une échelle considérablement réduite, notre taille reproduit une profondeur de sol approximative.

— Abaisser lentement l'instrument, depuis le front jusqu'aux chevilles, ou bien attendre que le pendule, toujours oscillant, se mette à tourner pendant que la main libre descend le long du corps.

— Convenir par exemple, avec l'abbé Mermet, que si l'instrument réagit quand il est tenu à hauteur des yeux, l'eau se trouve à 40 ou 50 mètres de profondeur : qu'à la ceinture correspondent 100 mètres ; aux genoux, de 200 à 250 mètres ; aux chevilles, de 300 à 400 mètres.

## Le comptage

A cadence régulière, que des coups de talon donnés sur le sol ou des petits jets de cailloux aident à maintenir, on compte selon une unité correspondant à une fraction de la profondeur.

### Exemple

A 1 coup de talon correspond 1 mètre de profondeur. Quitte à compter plus longtemps, on adoptera cependant une valeur plus faible afin d'obtenir une évaluation plus précise. Etant alors simplement entendu qu'à 1 seconde correspond un demi-mètre, si le pendule tourne ou la baguette saute au bout de 3 minutes, la profondeur de l'eau sera de 0,5 mètre $\times$ 180 = 90 mètres.

— Se placer au-dessus du courant d'eau.

— Expression du désir : « Je désire me rendre exclusivement sensible à la profondeur de l'eau qui se trouve sous mes pieds. »

— A moins que remplacée par l'énumération « 1 »,

« 2 », « 3 »…, la question sera dans ce cas : « L'eau qui se trouve sous mes pieds, est-elle à un demi-mètre de profondeur ? A 1 mètre ? A 1,50 mètre ? Etc. »

Au besoin, à l'aide du disque, on comptera plus directement la profondeur en n'ayant pas omis de convenir que le pendule légèrement lancé tournera ou que la baguette sautera quand le chiffre qui mesure la profondeur de l'eau se trouvant sous nos pieds, aura été atteint ou prononcé : « La profondeur de l'eau se situe-t-elle entre 0 et 10 mètres ? Entre 10 et 20 mètres ?… Entre 30 et 40 mètres ? » — Réaction instrumentale — « L'eau est-elle à 30 mètres de profondeur ? A 31 mètres ?… A 36 mètres ? » — Réaction instrumentale — « L'eau est-elle à 36,25 mètres ? A 36,50 mètres ? » Etc.

→ **A noter**

**1)** Du fait que les éléments finement divisés de l'**argile** et du **sable** diffuseraient le rayonnement de l'eau, de nombreux radiesthésistes ajoutent à la profondeur obtenue, l'**épaisseur** de leurs bancs éventuels. Quoi qu'il en soit du sort que l'on réserve à cette difficulté, selon nous théorique, on procède ainsi :

— Expression du désir : « Je désire me rendre sensible à la présence de l'argile pouvant s'ajouter à la profondeur de l'eau qui se trouve sous mes pieds. »

— Tenant dans la main libre une boulette d'argile ou un témoin artificiel, interroger : « Y a-t-il de l'argile qui s'interpose dans la profondeur ? »

— En cas de réaction instrumentale, de nouvelles interrogations permettront d'établir l'épaisseur du banc, qu'on ajoutera à la profondeur initialement obtenue.

**2)** En raison du coût des travaux de forage, on contrôlera, si possible, la vraisemblance des résultats en les comparant au niveau connu d'un puits voisin ou, à défaut, à celui de l'eau courant dans la vallée la plus proche.

**3)** Il arrive qu'une eau subissant, de par la loi des vases communicants, une poussée verticale, une couche rocheuse ou argileuse l'empêche de monter. On n'oubliera donc pas de poser les questions suivantes : « L'eau qui se trouve sous mes pieds, est-elle sous pression ? » — « De combien sera remonté son niveau après forage ? De 1 à 5 mètres ? Etc. Etc. »

## Mesure du débit

Le débit étant la vitesse d'écoulement, il s'obtient par le nombre de litres ou de mètres cubes d'eau qui franchissent, à la minute ou à l'heure, une section transversale de son cours. Comme on a en vue la meilleure exploitation utile, on envisagera la quantité d'eau captable selon les besoins et n'affectant pas sensiblement le niveau.

En outre, on se doute que, moyennant distance raisonnable, le débit d'un courant principal totalise ceux des affluents de l'amont et ceux divisés en aval. C'est pourquoi, de différents points d'eau repérés de part et d'autre de celui qui a été trouvé, on choisira celui dont l'accès, la nature du sol, la profondeur et le débit répondent le mieux aux nécessités. On peut convenir, à cet effet, que l'instrument réagira là où le forage d'un puits présenterait le plus d'avantages.

### Méthodes comparatives

A un puits dont le débit reconnu est, disons, de 10 litres à la minute, on donne la cote arbitraire de 50, correspondant au nombre de girations ou de battements qu'on en a obtenu. Si, se plaçant au milieu du courant à tester, face à l'amont, on compte 25 mouvements instrumentaux successifs — girations ou battements, — on peut considérer que le débit, inférieur de moitié à celui du puits, est de 5 litres à la minute. Il en irait de même si, la cote 50 correspondant au nombre de centimètres parcourus sur le mètre avant que l'instrument réagisse, les 25 premiers, cette fois, suffisaient.

On peut aussi établir des *tables de débit* au moyen de relevés faits sur des courants de diverses importances, étant entendu qu'une valeur arbitraire, correspondant à l'écoulement d'un nombre déterminé de litres à la minute, aura été attribuée à chaque mouvement de l'instrument. On peut convenir, par exemple, qu'un mouvement correspondant au passage d'1 litre, il y en aura autant que de litres débités en 1 minute.

Expression du désir : « Je désire me rendre exclusivement sensible au débit de l'eau qui s'écoule dans le sol, sous mes pieds. »

## Comptage direct

A moins que remplacée par l'énumération des mouvements instrumentaux « 1 », « 2 », « 3 »..., la question sera : « Le débit de l'eau qui s'écoule sous mes pieds, est-il d'un demi-litre à la minute ? D'1 litre à la minute ? Etc. » Dans ce cas, le pendule tenu en oscillations légères ou la baguette en repos, on se place au milieu du courant, sans tenir compte de son sens.

En s'aidant éventuellement de la règle universelle, on conviendra de la réaction instrumentale au moment où le chiffre qui mesure le débit du cours d'eau souterrain se trouvant sous nos pieds, aura été atteint ou prononcé : « Le débit de l'eau se situe-t-il entre 0 et 100 litres à l'heure ?... Entre 100 et 200 ?... Entre 300 et 400 ?... » — Réaction instrumentale — « Le débit de l'eau est-il de 300 litres à l'heure ?... De 330 litres à l'heure ? » — Réaction instrumentale attestant un débit de 5,5 litres à la minute.

Si le signal radiesthésique ne s'obtient pas avant 1.000 litres, continuer de compter en mètres cubes : entre 1 et 10, 10 et 20, 20 et 30, etc. Le mètre cube contenant 1.000 litres d'eau, transposer si nécessaire.

### → A noter

La mesure du débit pouvant présenter le plus de difficultés, il vous est loisible de vous y exercer préalablement à domicile.

— Se placer près du compteur d'eau ou, mieux, près d'un point quelconque de la canalisation.

— Afin d'opérer sur inconnu total, vous demandez à quelqu'un d'ouvrir le robinet à son gré, après chaque estimation. Il pourra même le fermer.

— Vous avez convenu que l'instrument réagira quand vous serez arrivé au chiffre qui traduit le nombre de litres d'eau écoulés en 1 heure, plutôt qu'en 1 minute, afin d'élargir la fourchette de l'estimation.

— Compter chaque fois le temps nécessaire au remplissage d'un récipient d'1 litre permettra un contrôle a posteriori.

## Qualité de l'eau

Conformément à la demande générale, il faut être à même de déterminer le degré de pureté ou d'altération de l'eau, la proportion des substances qu'elle contient en suspension ou en solution.

Le problème de l'eau ne se limite plus à la question de savoir si elle est potable ou non. Les nécessités de son épuration répondent à la diversité croissante de ses usages industriels, qui nécessitent des traitements particuliers. En effet, les eaux naturelles ont certaines qualités chimiques qui s'expriment sous plusieurs aspects.

— La connaissance du **pH** détermine si une eau est corrosive ou entartrante, acide ou alcaline.

— Sa **dureté** ou «titre hydrotimétrique» exprime la concentration en sels de calcium et de magnésium.

— L'**alcalinité** ou «titre alcalimétrique» indique la teneur en bicarbonates, carbonates et hydrates de calcium, magnésium et sodium. Ce titre permettant d'étudier, avec le pH, l'équilibre carbonique d'une eau, on sait si elle est agressive ou incrustante.

Sachons aussi que, pour être buvable, l'eau ne doit pas contenir de microbes pathogènes et que son usage domestique demande une pauvreté en germes, en calcaire et en magnésium. En fait, une eau est susceptible de comporter n'importe quel élément biologique, n'importe quel élément ou composé chimique.

### Analyse radiesthésique

— Tenir dans la main libre un échantillon de l'eau recherchée (témoin-eau potable ; témoin-eau calcaire, représenté par le carbonate de calcium d'une craie ou par du sulfate de calcium ; témoin-eau thermale ou minérale, saline, acidulée, ferrugineuse, sulfureuse, sodique, calcique, bicarbonatée, chlorurée, radioactive, …).

En ce qui concerne la qualité bactériologique d'une eau, on peut se servir de préparations vendues dans les maisons spécialisées ou, plus simplement, de mots-témoins (staphylocoques, bacilles typhiques, colibacilles, …). Rappelons que l'emploi du témoin ne dispense pas de penser à ce qu'on cherche très précisément.

— Se tenir au milieu du courant et convenir que le pendule, légèrement lancé, tournera si on est en présence du type d'eau envisagé, ou à chaque énoncé d'élément qu'elle contient.

— Promener ensuite le pendule remis en oscillations,

le long de la règle universelle : suivant l'échelle adoptée, la cote au-dessus de laquelle il y aura girations, indiquera la teneur de l'eau, sa température, son pH et ses titres.

— Expression du désir : « Je désire me rendre sensible à la nature (teneur, température, ...) de l'eau qui se trouve sous mes pieds. »

— Exemples de questions : « L'eau qui se trouve sous mes pieds, est-elle calcareuse ? » Si oui, « combien cette eau contient-elle de calcaire par litre ? Un demi-gramme ? Un gramme ? ... » « Contient-elle des nitrates ? » Etc.

Les mêmes méthodes d'investigation s'appliquent aux **nappes d'eau souterraines**, qui dorment ou se déplacent fort lentement et dont l'étendue est parfois considérable. Leur rayonnement étant toutefois nettement plus faible que celui des eaux courantes, l'opérateur doit renforcer son état passif d'attente et son attention volontaire.

Par ailleurs, l'émission de leurs propres signaux, par les cavités qui les contiennent — ce que confirme aussi le professeur Rocard —, oblige l'inconscient à les distinguer des autres, dans l'expression du désir : « Je désire me rendre sensible au rayonnement vertical de l'eau dormant sous mes pieds, à l'exclusion de tout autre », d'une part ; « ... au rayonnement de la cavité, à l'exclusion de tout autre », d'autre part.

# CHAPITRE III

# La prospection radiesthésique

Moins indispensables que l'eau, moins répandus aussi, **pétrole, gaz naturel** et **minerais** s'offrent moins à la sensibilité radiesthésique, qui n'a plus lieu de répondre, cette fois, à un appel aussi vital qu'universel et ancestral.

Ce domaine d'application est toutefois reconnu depuis la description détaillée que Georgius Agricola a faite, en 1556, des prospections pratiquées par les mineurs allemands dans les monts de Bohême. Signalons que les mines de potasse d'Alsace ont été découvertes grâce à la radiesthésie.

Il est fait appel aux mêmes techniques que celles qui président à la recherche de l'eau, sauf qu'on se servira, bien entendu, de témoins appropriés et que la profondeur des gisements, généralement beaucoup plus grande, requiert, comme seul moyen pratique de sa mesure, un comptage correctement étalonné.

Mais connaître l'importance d'un gisement conditionne son exploitation. Si le travail sur carte évitera de procéder à des mesures en parcourant des espaces considérables, l'appréciation de l'épaisseur d'un filon, en un point du site où il serait particulièrement étroit, permettra un contrôle a posteriori.

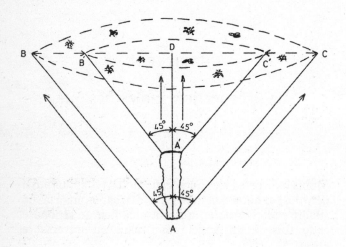

Les rayonnements (ou radiations) verticaux, manifestés près de D, émanent tant du point A' que du point A. Quant à ceux qui expriment l'épaisseur entre A et A', ils émergent sur une ligne perpendiculaire, entre B-B', C-C', dont il suffit de mesurer la longueur. S'il se trouvait que le niveau supérieur du filon affleure quasiment, B' et C' coïncidant avec D, ne subsisterait que la limite du niveau inférieur, en B ou en C.

• **Sciences auxiliaires :** géologie et minéralogie.

# CHAPITRE IV

## Recherche de trésors

Nous y incluons la **recherche archéologique**, du fait qu'elle porte le plus habituellement sur les souterrains, fosses, grottes, soubassements, qui en contiennent parfois.

On a vu que les inégalités du sous-sol manifestent des champs de force particuliers. Que l'homme y ait laissé des traces augmentera d'autant la sensibilité du radiesthésiste. Il va de soi que l'érudition en matière d'archéologie, l'amas d'un maximum d'informations relatives à l'existence éventuelle d'un trésor, orienteront la démarche. Sauf localisation précise, la recherche sur le terrain servira, ici aussi, à confirmer celle effectuée sur carte ou sur plan.

On conçoit bien la quasi-impossibilité qu'il y a de se procurer un témoin qui inclue la civilisation et l'âge, le style ou la période. Aussi, une étude archéologique précédera la concentration sur tel type de civilisation, dans l'appartenance duquel les girations pendulaires confirmeront peut-être l'objet. Il s'agit bien, par exemple, d'une pièce gallo-romaine, à l'effigie de l'empereur

Constantin. En conclut-on qu'elle a dû être frappée sous son règne que les girations ne se produisent pourtant pas. Sa réputation a été si longtemps conservée qu'on envisage alors les décennies qui suivent immédiatement sa mort : « La pièce gallo-romaine que j'ai en main, a-t-elle été frappée entre 330 et 340 après J.-C. ? Entre 340 et 350 ? Entre 350 et 360 ? » — Girations — On passe aux unités : « A-t-elle été frappée en 351 ? En 352 ? Etc. »

Quant aux **trésors** et aux **bijoux perdus ou volés**, des difficultés de trois ordres affectent leur recherche. La valeur intrinsèque de l'objet, souvent augmentée par l'appât du gain ou un point de vue sentimental, n'est généralement pas en relation avec son importance physique, masse ou volume. Deux types d'informations disproportionnées accaparent donc le chercheur, les unes émanées faiblement de la matière proprement dite, les autres intensément transmises par le demandeur. Se convainquant de l'existence d'un trésor ou voulant localiser la perte, celui-ci conditionne la démarche au moyen d'indices supposés ou inutiles. La neutralité de l'opérateur en souffre, que l'inventeur non nécessairement désireux de connaître le propriétaire, ou le voleur brouillant les pistes pour préserver son anonymat, risquent d'influencer télépathiquement aussi.

Les informations subjectives, d'autant plus fortes que passionnelles, transmises par la parole et l'inconscient, l'emportent donc sur les seules qui importent vraiment à l'acte radiesthésique. Ainsi, on se transportera d'un lieu suggéré à un autre, d'une cache supposée à une autre, en négligeant l'essentiel, à moins que l'objet n'ait déjà été trouvé, qu'il ait été détruit ou n'existe pas, tout simplement.

On mesure l'ampleur de la difficulté si on y ajoute le phénomène de la *rémanence,* sorte de souvenir, de trace spécifique, dont la matière imprègne l'endroit précis où elle s'est trouvée.

→ Outre les facultés de discernement que la complexité de ce genre de recherche exige, **les démarches suivantes prévalent.**

• Etude psychologique du demandeur, de ses intentions avouées ou non, de l'objectivité et de la sincérité de ses informations qui peuvent en occulter de plus indispensables.

• S'interroger sur l'opportunité d'engager la recherche : si le pendule ne tourne pas franchement, considérer que pas moins de quatre-vingt pour cent de réponses à peu près positives sont acceptables.

• La recherche consiste à suivre, l'une après l'autre, deux lignes formant angle droit. Les girations du pendule relèvent sur chacune d'elles, le point de passage des perpendiculaires, à l'intersection desquelles se trouve l'endroit recherché.

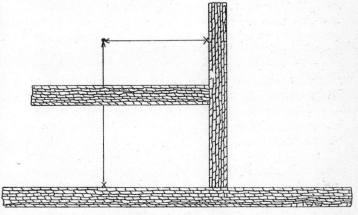

Exemple: les murs d'une bâtisse

• Moyen de distinguer avant la fouille, l'objet réel de sa rémanence :
— « Je désire me rendre sensible au rayonnement de l'objet que je cherche, à l'exclusion de celui propre à sa rémanence. »

— Questionner en attendant les girations du pendule légèrement oscillant, ou sa pesante immobilisation : « Tel objet se trouve-t-il ici ? »

— La contre-épreuve par laquelle on envisage la rémanence seule, constitue un moyen de vérification.

# TROISIÈME PARTIE

# La téléradiesthésie

# CHAPITRE I

# Procédures et généralités

D'Aulaire raconte encore[1] : *La société américaine de radiesthésie, composée de vingt-cinq mille praticiens se recrutant dans tous les milieux — professeurs, fermiers, médecins, ménagères, — tient ses assises en septembre, à Danville, dans le Vermont. En guise de test, nous avons demandé au sourcier du Maine, Bob Ater, s'il pouvait localiser la source de notre propriété qui se trouve à trois cents milles, dans le Connecticut. Il nous demanda de dessiner un plan sommaire de la propriété, qui comprenne chaque construction. Notre croquis achevé, il demanda : « Qu'en est-il de l'ancienne fondation, là-bas ? » Nous avons pensé un instant qu'il s'était mépris, quand nous nous sommes souvenus d'une dalle de béton recouverte, sur laquelle un garage avait été construit, trente ans plus tôt. Nous l'avons représentée.*

*Ater prit un stylo dont il expliqua qu'il se servait comme d'une baguette. Il le tint en équilibre au-dessus*

1. *Op. cit.*

*de la carte. Sa main descendit et il traça, à l'endroit pré-
cis où se trouve notre source, un petit cercle bien net.
Il dit après coup : « Quelque chose semble sortir de la
maison, là-bas. » Et, depuis son extrémité jusqu'à la
terrasse, il tira une ligne en forme de serpent, qui lon-
geait l'entrée. Nous restions incrédule. Or, c'est exactement là que, rentrant chez nous deux jours plus tard,
nous avons retrouvé le tuyau d'arrosage à l'abandon.*

Parmi tant et tant d'exemples de radiesthésie à distance, celui raconté, en 1950, par le romancier améri-
cain Kenneth Roberts, chez qui le sourcier Henry
Gross, son voisin à Kennebuktport, dans le Maine,
déploya un beau jour la carte des Bermudes. Malgré la
conviction des géologues, qu'il n'y avait pas d'eau
douce dans les îles, sa baguette indiquait trois endroits
où il devait s'en trouver. Le gouvernement des Bermudes ayant été persuadé d'acquérir du matériel de
forage, trois sources furent découvertes aux endroits
indiqués, en avril de la même année.

Nous avons parlé de la sensibilité inconsciente des sourciers à de faibles **perturbations du champ magnétique
terrestre**. Les plus sensitifs ressentent des signaux
radiesthésiques quand on leur fait traverser un faisceau
électro-magnétique de faible intensité. L'absence de
réaction, dans le cas où une feuille d'aluminium ou de
cuivre protège la surface du rein ou de la tête, suggère
l'existence, ici et là, d'une sensibilité magnétique. Le
cerveau alerté commande, dès lors, de manière sublimi-
nale, les contractions musculaires des bras qui action-
nent la baguette. Et le physicien Zaboj V. Harvalik de
conclure : « La baguette tourne, non pas en raison
d'une force inconnue, mais parce que certains individus ressentent profondément des variations électro-
magnétiques. »
  On conçoit pourtant, ici, l'insuffisance de l'explication. Aussi, pour Karlis Osis, membre de la société

américaine de recherche physique, la radiesthésie doit être envisagée dans le cadre plus large de la parapsychologie. « Elle opère, dit-il, parce que l'inconscient recèle un vaste spectre de données qui se trouvent hors de portée du champ normal de la conscience, dans les trois quarts de celles généralement inutilisées par l'intelligence. Beaucoup de ces informations, profondément enfouies dans l'esprit, peuvent accéder indirectement à la conscience, à travers des changements physiologiques que les mouvements de l'instrument traduisent. »

Nous allons tenter une approche sommaire de la question, soucieux que nous restons de privilégier le rôle majeur du mental. De la **théorie du rayonnement universel**, illimité dans le temps et dans l'espace, procède la notion de rayon capital, selon laquelle un objet, aussi éloigné qu'il soit, émettrait un rayon perceptible à quiconque saurait se mettre en état de résonance. Une orientation mentale finement ajustée assurerait donc le contact avec chaque personne, chaque objet, chaque lieu, moyennant une représentation photographique ou cartographique, qui permette d'en capter les vibrations spécifiques.

La loi physique de propagation enseigne cependant qu'aucun rayonnement ne va sans une déperdition d'énergie, consécutive à l'éloignement. Trois éléments y contribuent : les milieux traversés absorbent une partie de l'énergie transportée ; la persistance à se déplacer de celle-ci, malgré l'extinction de sa source d'émission, ne peut se faire qu'à ses propres dépens ; soumis comme la lumière à la diffusion sphérique, les rayonnements s'affaiblissent en raison de leur dispersion que la distance accentue d'autant. En outre, ceux qu'on a pu observer à propos de certaines substances n'atteignent que quelques centimètres, rarement quelques mètres. Les rendent seuls perceptibles, d'ailleurs, les moyens d'excitation comparables à ceux qui révèlent l'existence d'un rayonnement magnétique émis par un aimant ou un électro-aimant...

L'hypothèse physique, jamais vérifiée, ne servant qu'à l'autosuggestion, on ne retiendra donc que l'existence d'un rayonnement obligatoirement émané de l'opérateur.

La pensée, étrangère à la notion de vitesse, n'exige nul milieu de propagation. Elle se transporte instantanément dans l'esprit d'une personne, en tout lieu inconnu, éloigné. L'exploration demande que l'imagination se les représente à l'aide d'une photo, d'une carte ou d'un plan suffisamment évocateur. C'est comme antenne télescopique de l'inconscient que la pensée, ici, opère. Projetée sur un être animé, un objet ou un lieu, elle en porte instantanément la vision à l'inconscient qu'elle prolonge.

Dès lors qu'elle s'est abstraite du milieu ambiant, la distance ni le temps, pour elle, n'existent plus. Ainsi dotée des facultés d'ubiquité et d'intemporalité, ses perceptions mentales et matérielles, aussitôt transmises à l'inconscient, se manifestent sur un plan unique, sans nuances ni relief. De là viennent les faits de perception à distance et ceux, typiques de l'aptitude à rétablir la chronologie, de prémonition radiesthésique.

Faute de mieux connaître les ressorts encore mystérieux de l'inconscient, certains assimilent la téléradiesthésie à de la voyance ou parlent de projection astrale[1]. Comme d'aucuns, nous avons éprouvé la projection volontaire de la pensée qui en appelle à l'intuition aussitôt transmise. Le succès commande que nous en restions simplement là.

---

1. Par une sorte de dédoublement de la personnalité, le « double fluidique » ou « corps astral », détaché du corps physique et relié à lui par un cordon indéfiniment extensible, appelé « corde d'argent », se porterait instantanément sur le lieu d'investigation, pour en transmettre une perception sélective.

# Exercice préparatoire :
## l'extériorisation motrice de la pensée

Enfoncez, dans un petit pot de terre, une fine aiguille à tricoter, dont la tête est tournée vers le bas et sur la pointe de laquelle vous déposez un cône en papier, marqué d'un repère. Placez le tout sur une table et asseyez-vous le plus commodément possible. Veillez à ce qu'il n'y ait pas de courant d'air et diminuez l'éclairage de la pièce afin de ne pas incommoder les yeux.

Pendant que l'attention est portée sur le cône, avec une volonté et une insistance exemptes d'empressement, on répète à part soi qu'il va y avoir giration à la pointe de l'aiguille, dans le sens convenu. Grâce au repère, on constatera alors que le cône a tourné, ou vers la droite, ou vers la gauche.

Des picotements dans les yeux, qui obligeraient à clore les paupières, n'empêcheront pas que la vision du cône soit maintenue dans l'esprit.

Si une demi-heure s'est passée en vain, arrêtez la tentative. Vous la renouvellerez jusqu'à obtention du phénomène.

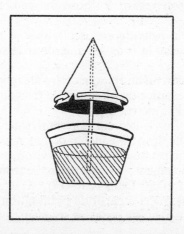

Pour des raisons de commodité, la téléradiesthésie se pratique principalement en chambre, à l'aide de plans et de documents. Notons pourtant que la prospection sur le terrain recourt, elle aussi, à la projection de la pensée dans l'espace. Il en va bien ainsi quand on lance des directions, à l'intersection desquelles se trouve l'objectif.

En opérant désormais sur de plus grands espaces, on va mettre en œuvre une démarche qui, pour être matériellement double, n'en reste pas moins unique sur le plan mental.

Admettons qu'on se trouve à quelque bonne distance d'un gisement avéré, mais dont on ne connaît pas la direction précise. C'est d'ailleurs pourquoi, le plan à grande échelle de la région, bien orienté devant soi, ne devra rien porter qui vous permette de l'indiquer.

## Direction obtenue sur le terrain (Première démarche)...

— Prendre dans la main libre, un témoin de la même nature que celle du gisement.
— Porter son regard à l'horizon, dans la direction supposée.
— Mettre le pendule en oscillations, à hauteur des yeux, et tendre le bras-antenne dans la direction du regard.
— Expression du désir : « Je désire me rendre très sensible à la présence du gisement de telle nature, qui se trouve à n kilomètres d'ici ».
— Pivoter fort lentement, alternativement de gauche à droite et de droite à gauche, de façon à couvrir une section de quarante-cinq degrés environ, tout en interrogeant calmement : « Le gisement se trouve-t-il dans cette direction-ci ? Dans celle-ci ?... »

Afin de la tracer à partir du point qu'on occupe soi-même sur le plan, on repérera soigneusement la direction dans laquelle les girations positives auront commencé de se produire.

### ... et explorée sur la carte
### (Seconde démarche)

Sauf à se déplacer au moyen d'un véhicule, une nouvelle direction, formant un angle suffisamment ouvert avec la première, ne peut se trouver qu'à partir d'un point fort éloigné. C'est pourquoi la recherche va se poursuivre à même le plan, étalé en plein air ou sur la table d'une chambre.

— Renouveler l'expression du désir.

— Placer le témoin à l'extrémité de la ligne indicatrice de la direction.

— Poser la pointe d'un crayon sur le point qui représente l'emplacement où on a précédemment travaillé.

— Tenir le pendule en oscillations.

— Déplacer lentement le crayon sur la ligne de direction, en interrogeant : « Le gisement est-il ici ? Ici ? ... »

Les girations se produiront au point où se trouve le gisement, dont on convertira la distance d'après échelle. Comme le pendule ne tourne pas brusquement une fois qu'il y est arrivé, mais arrondit ses oscillations à son approche, on lui laissera le temps de l'indiquer fort précisément par des girations parfaites.

En cas d'échec, on recommencera plusieurs fois, la ligne de direction ayant été prolongée, au besoin, en-dehors du plan. Il se peut aussi qu'il y ait erreur de direction : en partant du même point, on tracera de chaque côté de la ligne primitive, quelques autres très voisines, sur lesquelles on opérera de même.

Vous agiriez de la sorte si, d'aventure, il vous était donné de soupçonner l'existence d'un gisement assez proche. Nous parlerons bientôt du cas où il serait fort lointain. S'agissant là de faits radiesthésiques plutôt exceptionnels, revenons à des objectifs plus modestes.

## Objet caché ou perdu

On se souviendra de l'exercice qui proposait de retrouver un objet caché ou perdu : du témoin différemment exposé sur la table, on avait obtenu deux directions croisées.

### Rappel

La recherche d'une perpendicularité maximale des directions s'impose d'autant plus que, précision oblige, l'espace de travail se restreint.

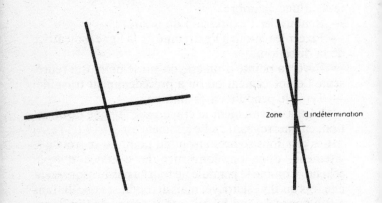

Zone    d'indétermination

• Etablissons maintenant, à échelle raisonnablement approximative, un **plan sommaire de la chambre meublée**.

Un témoin artificiel dans la main libre, on tient le pendule oscillant au-dessus du point central, dont on l'éloigne en décrivant une *spirale*, assez serrée pour que rien de la surface n'échappe à l'exploration. On répète lentement : « Où est l'objet ? » A moins que, faisant stationner le pendule à chacun des centimètres que comporte la spirale, on ne demande autant de fois s'il s'y trouve.

A l'approche de l'endroit où l'objet se trouve, le pendule arrondit ses oscillations pour tourner franchement au-dessus.

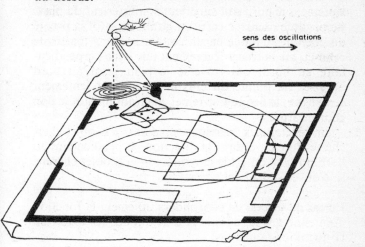

sens des oscillations

**• Le plan est étendu à un appartement de plusieurs pièces**

1° Un *léger* appui du coude sur le bord de la table aide à l'immobilité de la main qui tient le pendule oscillant. Pourquoi « léger » ? Pour ne pas entraver la conduction de l'influx nerveux.

La main libre pouvant tenir un témoin, c'est son index, cette fois, ou, mieux, la pointe d'un crayon qui explore tout le plan en décrivant une spirale partie du centre. C'est là une autre manière de « tenir le bras en antenne », à moins de le dire à propos du crayon. Mais pourquoi la main libre pour décrire la spirale ? Parce qu'une mobilité trop longtemps imposée à la main qui tient le pendule, engendrerait sa fatigue. Et pourquoi la pointe d'un crayon, de préférence ? Simplement pour plus de précision.

De nouveau, le pendule arrondira ses oscillations à l'approche du point recherché, pour tourner franchement au-dessus.

## 2° Autre manière

La main libre, tenant le crayon en antenne, parcourt lentement le bord soit supérieur soit inférieur du plan. Le pendule oscillant entre en girations, sitôt la pointe du crayon parvenue en un certain point. A partir de celui-ci, on va tracer légèrement une ligne perpendiculaire au bord, qui traverse le plan jusqu'au bord opposé. La pointe du crayon parcourant lentement cette ligne, le pendule se remet en girations sitôt le bon endroit atteint.

On répétera les questions suivantes : « L'objet cherché se trouve-t-il dans la direction perpendiculaire au bord du plan où est le crayon ? » — « L'objet cherché se trouve-t-il ici ? Ici ? ... »

En cas de succès, on consolidera utilement la fonction d'antenne que la main libre a déjà jouée sur le terrain et que nous rappelons.

Vous demandez à quelqu'un de dissimuler l'objet retrouvé, dont votre main libre se sera préalablement imprégnée. Tenez-vous au centre de l'appartement. Le bras libre, tendu en avant, balaie tout l'espace de son mouvement circulaire, que vous pourriez également entretenir en pivotant lentement sur vos talons. A un certain moment, les girations positives arrêteront la direction donnée par le bras et dans laquelle vous resterez tourné. Après avoir arrêté le pendule, relancez-le et explorez de haut en bas. De nouvelles girations indiqueront la hauteur à laquelle l'objet se trouve. Il vous reste à opérer identiquement à partir d'un point suffisamment éloigné. Les deux directions coplanaires se couperont là où devrait aboutir la recherche.

On voit que la méthode intègre ici une dimension supplémentaire. Par ailleurs, comme l'esprit opère plus aisément dans la réalité que sur une abstraction, on comprend l'avantage de s'exercer d'abord sur le terrain. Mais il arrive fort souvent qu'un champ d'investigation trop vaste, un lieu trop lointain, matériellement ou juridiquement inaccessible, oblige à recourir au travail sur plan ou sur carte, auquel un point de vue trop réducteur limite la téléradiesthésie.

## Avantages reconnus de la méthode

Comme toujours, le mental doit écarter tout élément étranger à la recherche parfaitement précisée. Et si on oriente volontairement la pensée vers une zone bien définie, nul autre objet de même nature, plus proche dans l'espace, ne viendra s'interposer. Une zone bien définie, certes. Mais preuve qu'elle sert seulement de support visuel à la pensée, celle-ci pourrait être en mesure de poursuivre l'objectif en-dehors des limites mêmes de la carte ou du plan...

On sait que seule la neutralité de l'esprit fait échec à la suggestion ou à une simple supposition. Par rapport au terrain, dont certaines caractéristiques remarquées en cours d'examen peuvent influencer, une carte ou un plan restent parfaitement neutres si l'imagination a été jugulée.

Et puis, quelle économie de démarches et de temps, à condition que l'intention et le désir soient orientés avec précision, la préparation mentale et l'attention suffisantes ! Même si, quand on peut, il est toujours utile d'aller chercher sur le terrain la corroboration de ce qu'on a découvert en chambre.

## Exigences spécifiques

« Une recherche parfaitement précisée », a-t-on dit. Il va de soi qu'on ne peut appeler un filon d'or autrement que par son nom ni se le représenter avec force détails. Qu'il s'agisse d'un objet unique en soi ou en raison de son appartenance, vous vous le ferez décrire complètement afin d'en imprégner votre esprit, et l'identifierez, non par ses caractères généraux, mais par ce qui le rend spécifique. Par exemple, « telle montre volée à M. X, le… » vaut mieux que « une montre à quartz, de telle marque, à cadran rectangulaire ».

L'exigence d'actualité prévaudra quand vous demanderez la position d'un objet de recherche, *susceptible de mobilité*. « Où se trouve tel convoi, *en ce moment ?* », par exemple. De plus, il y aura simultanéité parfaite entre le moment d'opérer et celui de poser la question.

## Plans et cartes

Le type de recherche et les données en possession desquelles vous aurez été mis, décideront, bien sûr, de la représentation spatiale dont il y aura lieu de se servir. Comme vous aurez le plus généralement affaire à l'inconnu total, vous ne risquez pas de vous tromper en allant du plus grand au plus petit : planisphère, continent, pays, région, ville ; plans de village, de quartier ou de secteur, d'habitation, d'appartement et de chambre.

Tout témoin artificiel d'un espace délimité qu'il est, le plan, établi avec soin et exactitude, doit porter un maximum de réalité. C'est pourquoi les détails dont l'agencement, les uns par rapport aux autres, importe le plus, seront reproduits à l'échelle adoptée, comme sur les bonnes cartes : routes, chemins, ruisseaux, puits, murs, clôtures, bois, cotes, étages, meubles, orientation, etc.

A moins que la recherche le commande comme en archéologie, on travaillera sur des documents aussi récents que possible. L'inconscient réagissant selon l'état du lieu tel que représenté, on n'oubliera jamais de mentionner cette autre exigence d'actualité, dans l'expression du désir : « Je désire me rendre sensible à la présence de tel objet, s'il existe en tel lieu considéré *dans son état actuel* », par exemple.

## Techniques

Pour d'évidentes raisons de commodité, on se sert le plus généralement du pendule car, si la pointe dont on munit l'extrémité de la baguette permet de localiser l'endroit où se produit la réaction, il reste qu'une même fonction mobilise les deux mains.

Différentes techniques sont proposées, qu'il vous appartient de tester, afin de vérifier et d'affiner les résultats obtenus, d'une part, de sélectionner ce qui, compte tenu du type de recherche, vous convient le mieux, d'autre part.

### Principe général

Le principe général consiste encore dans la **détermination précise d'un point par le croisement orthogonal de deux droites,** non plus virtuelles mais portées sur le document. Plus fermés seront les angles d'intersection, moins précise sera l'indication ; ce d'autant plus qu'on a affaire à des réductions considérables.

— Mettre le plan ou la carte bien à plat devant soi et l'orienter avec la boussole.

— Prendre, dans la main libre, un témoin de l'objet cherché ou, à défaut, un témoin artificiel.

— La même main libre tient en antenne, un crayon, une tige en bois ou un stylet, dont la pointe est posée près de l'angle supérieur ou inférieur gauche du document.

— Déplacer fort lentement le pendule oscillant tout autour du document, parallèlement à ses bords.

— Du point où le pendule accuse la réaction, à celui où repose la pointe, on trace une ligne fine et légère.

— Porter la pointe vers l'angle opposé et déplacer à nouveau le pendule qui oscille, parallèlement aux bords du document : du point où le pendule accuse une nouvelle réaction à celui où repose à présent la pointe, on trace une deuxième ligne.

L'objet de la recherche se trouve au point d'intersection des deux lignes, où devront converger toutes celles obtenues d'autres emplacements de la pointe. On en trouvera, à coup sûr, qui forment angle droit.

**Rappel**

Le changement des oscillations en girations ne s'opérant que progressivement, on laissera au pendule le temps de bien préciser son mouvement ; quitte à le conduire un peu trop loin et à le ramener en arrière, on précisera le point où ses girations sont parfaites.

## Cas où les dimensions du témoin empêchent une préhension simultanée à celle du crayon servant d'antenne

L'impression de travailler dans une ambiance homogène, où tous les éléments de l'opération sont étroitement liés, rassure l'opérateur dont l'activité subconsciente va s'employer avec plus d'aisance et de rapidité. C'est pourquoi on établira, au préalable, une intimité entre le pendule et le témoin.

— Placer le témoin près d'un angle du document.

— Laisser le pendule en contact avec le témoin, pendant quelques secondes.

— Au-dessus du témoin, élever le pendule mis en oscillations : assez vite, il se mettra de lui-même en girations.

— Laisser tourner le pendule pendant quelques instants, avant de le remettre en oscillations.

— Le déplacer fort lentement tout autour du document, parallèlement à ses bords.

— Relier par une ligne le point au-dessus duquel il y a girations au centre du témoin.

— Porter le témoin vers l'angle opposé et recommencer à déplacer le pendule oscillant...

L'objet de la recherche se trouve au point d'intersection des deux lignes, où doivent converger toutes celles obtenues des déplacements du témoin.

## Autre convention

Tenu en suspension entre le témoin et le document, le pendule doit balancer de lui-même[1]. C'est le sens des oscillations qui détermine, cette fois, chaque direction que l'on portera immédiatement sur la carte ou sur le plan.

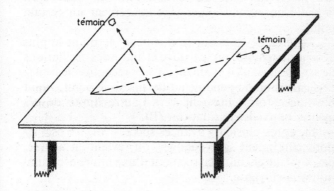

On voit que, plus directe, la méthode risque de manquer de précision.

## Variante

— Placer le témoin au milieu du bord gauche du document, si on est droitier ; au milieu du bord droit, si on est gaucher.

1. A moins d'attendre que les girations provoquées se transforment.

— Laisser le pendule en contact avec le témoin, pendant quelques instants.

— Elever le pendule oscillant au-dessus du témoin et provoquer ses girations.

— Tenir le pendule entre le témoin et le bord du document ; le lancer verticalement.

— L'éloigner très lentement en lui faisant décrire des arcs concentriques par rapport au témoin, qui envahissent toujours plus le document.

— A un certain moment, les oscillations montreront une tendance à changer de direction : s'arrêter et attendre que les oscillations prennent une orientation tout à fait nette, qui aille du témoin vers une zone dans laquelle on entend situer rigoureusement un certain point.

— Repérer dès lors sur le document le point le plus proche du témoin, où se trouve la limite des oscillations de sens nouveau (A) ; amener avec précaution le centre de suspension du pendule au-dessus de ce point, avant d'avancer fort lentement vers l'autre limite de ces mêmes nouvelles oscillations (B).

— Si, après plusieurs avances successives, les oscillations continuent sans changer, on revient en arrière, par le même chemin, en reculant d'une limite d'oscillation à la suivante.

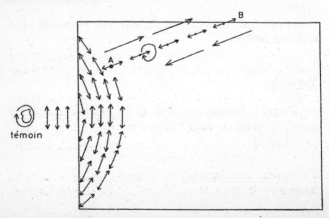

— A un moment donné, le pendule se met à dessiner un mouvement giratoire, indicatif du point cherché.
— Confirmer l'emplacement en changeant le témoin de place.

**A noter**
Au cas où le déplacement du pendule affecterait le régime des oscillations, on laissera à celui-ci le temps de se régulariser par des arrêts prolongés.

## La méthode Le Gall

On peut aussi inverser les conventions (oscillations - girations), explorer directement au pendule ou à la pointe-antenne la surface du document, se servir ou non d'un témoin actif ou focalisant simplement l'attention, combiner les méthodes.

Le Gall, toujours soucieux d'aller plus vite à l'essentiel, en a conçu une qui s'applique à tous les cas. Bien que relevant du principe des droites qui se croisent orthogonalement, elle en économise la recherche. Voici comment.

A défaut de chercheur transparent « Le Gall », dont la coloration délimite la partie explorée du document tout en ne la dissimulant pas, on se munit d'une règle ou d'un papier-calque.

**1.** Convenir que le pendule se mouvra ou, mieux, tournera quand le bord supérieur du chercheur passera sur le point où se trouve l'objet de la recherche (*Première direction*).
— Explorer le document sur toute sa profondeur et toute sa largeur, en faisant glisser le chercheur mis à plat, avec la main libre.
Dès que le pendule tourne, immobiliser le chercheur.

**2.** Convenir que le pendule tournera quand le crayon passera sur le point où se trouve l'objet de la recherche.

— Faire suivre par un crayon ou toute pointe-antenne, le bord supérieur du chercheur (*Deuxième direction*).

Dès que le pendule tourne, immobiliser la pointe et marquer l'endroit précis.

Tout au long de la recherche, « il faut évidemment penser fortement à ce que l'on cherche et concentrer son attention sur le plan », précise l'auteur[1].


# Cas pratiques


### La recherche de l'eau souterraine

Préalablement à la recherche, on aura convenu que le point cherché réunit bien les meilleures conditions de captage.

Afin de déterminer deux directions perpendiculaires, on promène sur les bords du document, soit le crayon-antenne, soit le pendule oscillant, soit la pointe de la baguette. Le point d'où part la droite sera donné par les girations du pendule ou par la saute de la baguette.

Vous pouvez reconnaître également le cours d'eau au moyen de la pointe-antenne explorant à partir du point d'intersection. On convient, par exemple, que l'éloignement du tracé correct ovalisera les girations positives.

On obtiendra pareillement les limites, même en coupe, de toute excavation.

Le *système du pointillé* permet, quant à lui, de situer plus facilement une structure linéaire, galerie ou fracture aquifère. Centimètre par centimètre, des droites parallèles se succèdent depuis la base du document, sur lesquelles on va marquer les points où le pendule change ses oscillations en girations. La réunion de ces

1. *Op. cit.*

points par un trait correspondra, en gros, à la veine d'eau ou au souterrain cherchés.

De la même manière, mais en partant d'un point connu, on pourra reconstituer un parcours sur une carte.

### Recherche de minerai lointain

— Même procédé des directions croisées sur une carte ou sur un plan précis de la région.

— Expression du désir : « Je désire me rendre sensible à la présence *éventuelle* d'uranium dans telle région, à l'exclusion de toute autre substance *n'appartenant pas au minerai*. »

Les réflexes suggérés par la certitude de l'existence du minerai risquent de ne pas traduire une réalité qui reste hypothétique. On tient compte, d'autre part, de la présence obligée d'autres substances dans le minerai. C'est celui-ci, caractéristique de l'uranium, qui intéresse et non l'uranium envisagé isolément.

— Question : « L'uranium est-il réellement ici ? »

— On se rend sensible à la *direction* du filon, en laissant d'abord le pendule continuer à tourner au-dessus du point trouvé. Comme il a été convenu de la persistance des girations sur cette seule direction, tout écart recrée les oscillations ordinaires.

— La direction soigneusement repérée donne la *longueur* du filon. Moyennant la même convention, on en détermine les contours dont toutes les sinuosités seront indiquées par la pointe du pendule.

— Quant à l'*épaisseur* et à la *profondeur*, on retournera, comme pour l'eau, aux mêmes modes de mesure exposés à propos de la prospection sur le terrain[1].

---

1. La procédure pourrait s'enrichir de la manière dont Le Gall a découvert de l'uranium à quatre cents kilomètres de distance : *op. cit.*, pp. 161-164.

# CHAPITRE II

## Radiesthésie télépathique

Il reste à envisager la partie la plus passionnante de la téléradiesthésie, celle relative au *vivant*.

Nous avons affirmé la nécessaire extériorisation de la pensée. Or, dans de nombreux cas de disparition, les personnes retrouvées ont reconnu avoir éprouvé un trouble spécial, voire un malaise. C'est que, au moment précis où le radiesthésiste opère, celui-ci, consciemment ou non, établit un rapport entre son inconscient et celui de la personne recherchée. La preuve que la pensée rayonne est également apportée par le phénomène de sa transmission et celui de la suggestion mentale. Mais, alors que le sujet se trouve ici en état passif volontaire, là, comme en télépathie, il ignore tout de l'action mentale qui s'exerce sur lui.

On voit que radiesthésie et télépathie, « biocommunication » disent les chercheurs soviétiques, ressortissent à une démarche mentale identique que rien ne distinguerait si elles ne consistaient, l'une en un acte d'exploration, l'autre en un acte d'influence. On peut même dire que, pratiquée à des fins modificatrices du comportement et thérapeutiques — psychothérapie, médecine psycho-somatique, — la radiesthésie se confond, ni plus ni moins, avec la télépathie volontaire.

## Réalités télépathiques[1]

### Involontaires

Dans la somme des travaux de laboratoire sur la télépathie, il y a un apport important des psychiatres qui ont souvent relevé les liens télépathiques, parfois embarrassants, qui s'établissent entre eux et leurs patients.

Le psychiatre Ullman décrit tel incident : « Dans son rêve, le patient a offert un porte-savon en chrome, à un homme qui a rougi quand il lui a été dit : Eh bien ! vous construisez une maison. Le patient n'a pu établir aucune association avec le porte-savon. Le thérapeute s'est pourtant rappelé que, un an et demi plus tôt, un porte-savon en chrome était parvenu dans la maison neuve, qu'il venait d'occuper. L'esprit accaparé par les frais croissants de la construction, jamais il ne se serait préoccupé de le renvoyer. A l'occasion de la visite de quelques architectes, une semaine avant le rêve du patient, l'un d'eux, ayant trouvé le porte-savon inutilisé dans la cave, avait mis le thérapeute dans l'embarras en attirant son attention dessus. »

Berthold Schwartz rapporte qu'il a enregistré trois mille soixante-dix-sept cas d'échanges télépathiques sur les trois mille sept cent soixante-quatre patients qu'il a vus de décembre 1955 à décembre 1973. Certains

---

1. Expériences tirées de L.E. BARLETT, *PSI Trek*, Mc Graw-Hill Book Cy, New York, 1981, pp. 174-175. On peut trouver l'état de la question dans J. TAYLOR, *Science and the Supernatural*, E.P. Dutton, New York, 1980, pp. 57-72.

ne concernaient pas seulement le docteur, mais également l'épouse et les enfants envisagés à travers le cours entier de leur évolution...

## Volontaires

... Il en a conçu cinq cent cinq hologrammes dont le contenu lui est parfois inspiré par d'autres patients et d'autres personnes. Sur base d'incidents télépathiques aussi fréquents, Schwartz conclut : « Je me suis progressivement rendu compte qu'on ne peut comprendre un patient sans envisager ce domaine du psychique. Les études psychiatriques des cinquante dernières années ont révélé combien la télépathie est en relation avec l'inconscient. Le rêve et les changements d'état de la conscience peuvent également constituer des véhicules idéaux pour la télépathie. »

Dans des laboratoires de recherche psychophysique, New Jersey, des expériences ont également confirmé l'observation freudienne de la relation intime qui existe entre les rêves et la télépathie.

En 1966, un émetteur projeta sur un sujet le contenu d'une peinture japonaise choisie au hasard, « Pluie torrentielle à Shono », de Hiroshige. Le sujet, William Erwin, endormi dans une autre pièce, rêva d'« un homme oriental », d'« une fontaine », de « chute d'eau », de « promenade dans la rue, sous la pluie », du fait de « tenir un parapluie » ou de « prendre une douche », ...

Au Newark College of Engeneering, Douglas Dean et Carroll Nash ont constaté que, sans en avoir pris connaissance, le corps répond aux messages télépathiques.

Un sujet a été invité à se détendre, pendant que le volume de sang, dans un de ses doigts, est mesuré par un « plethysmographe » — instrument qui détecte, à la minute, les modifications dans le volume du sang qui irrigue les minuscules vaisseaux de la peau. Installé dans une autre pièce, l'émetteur (Dean) pense à une série de noms : cinq noms pris dans l'annuaire téléphonique, cinq autres parmi ses propres amis et cinq qui ont une résonance affective importante pour le sujet — de l'épouse, d'un enfant, d'un ami intime.

Le sujet *ignore le moment* où le nom sera envoyé et de quelle sorte il est. En dépit de quoi, des changements significatifs sont opérés dans le volume du sang quand le nom faisant l'objet de la concentration a de l'importance pour le sujet.

Trente-huit fois sur les quarante-trois qu'il a été transmis, un seul nom a suscité une réponse tout à fait exceptionnelle, celui du patron du sujet...

La recherche scientifique atteste donc que l'action télépathique puise dans l'inconscient ; ce que nous ne cessons d'affirmer à propos de la radiesthésie.

## Identité de démarche avec la téléradiesthésie

La télépathie offre la possibilité d'entrer volontairement en communication mentale avec une personne déterminée. Il suffit de penser à elle en associant le désir de réciprocité. Si ses occupations ne l'absorbent pas totalement, son esprit captera votre image et un souvenir s'y rattachant. De plus, l'exercice répété de la télépathie volontaire aboutira au partage d'une idée aussi saillante que possible et du point de vue qui la spécifie. Au moment où la pensée s'extériorise, on lui associe l'idée, cependant que tout effort susceptible de causer quelque tension musculaire ou nerveuse sera exclu. Car penser intensivement signifie simplement concentrer toute son attention sur la personne et l'objet de la pensée, à l'exclusion de tous autres et de tout sentiment passager. Aussi, une immobilité absolue, qui évite toute modification du rythme respiratoire, et la certitude de l'efficacité de la pensée présideront à la concentration.

Il se peut que la volonté s'emploie à transmettre un sentiment si fermement ressenti qu'il se passe de mots. On pourrait d'ailleurs craindre que la traduction verbale d'un sentiment, même muette, n'en affaiblisse l'extériorisation mentale, à moins d'un renforcement obtenu grâce à l'expression la plus représentative qui soit. Dans l'expérience relative à l'extériorisation motrice de la pensée, par exemple, une formulation heureuse déterminera un mouvement plus rapide et plus ample du cône sur l'aiguille (voir plus haut). Ceci rappelle l'importance des questions, en radiesthésie.

Relaxation, concentration, attention, neutralité, appel aux ressources de l'inconscient... **Entre la télépathie volontaire et la téléradiesthésie appliquée au vivant, il y a assurément identité d'exigences et de processus.** La finalité seule les distingue, qui détermine une orientation plus facile à préciser et, donc, à maximiser en télépathie, où il est donné à la force mentale, à ce que d'aucuns appellent « le pouvoir psi », de jouer pleinement. En effet, si l'orientation porte chaque fois sur une personne bien déterminée, elle se traduit ici par une volonté d'affirmation, mais là, par une question, celle de savoir « où ? ».

Comme la différence d'objectif n'empêche pas, par ailleurs, la volonté d'influence à distance de renforcer l'exploration radiesthésique, de la compléter utilement comme dans le cas des recherches de personnes et en psychothérapie, on comprend que la pratique de l'une prépare merveilleusement à l'autre.

# *Exercices préliminaires*
# *de télépathie volontaire[1]*

## Comment influencer
## une personne à distance ?

Vous vous installez confortablement derrière elle, ni trop près, ni trop loin, à une distance de plus ou moins trois mètres. Portez votre regard, ainsi que votre pensée, sur sa nuque et répétez à part vous : « Tu te retournes, je le veux ! » Si, après quelques minutes environ, vous n'avez pas obtenu de résultat mais remarquez que le sujet est agité, vous affirmez catégoriquement votre volonté en pensant : « Maintenant, retourne-toi, je le veux ! »

Il convient de s'exercer plusieurs fois et sur des personnes différentes avant d'obtenir un résultat, au demeurant très souvent immédiat.

## Comment susciter un besoin à quelqu'un ?

Vous êtes à votre domicile, confortablement assis dans un fauteuil, au calme et sans dérangement. Vous vous relaxez et pensez intensément à un ami intime, à qui vous téléphonez en imagination et ordonnez de se rendre chez vous, dans l'heure. A cette fin, vous vous le représentez qui s'exécute ou téléphone lui-même. Vous prolongez la tentative pendant vingt minutes maximum. Renouvelez-la à d'autres moments, autant de fois que nécessaire...

---

1. Pris à notre ouvrage, *Vous êtes médium*, Marabout Service 1431, de même que le précédent exercice d'extériorisation motrice de la pensée.
Voir les exercices d'aptitude à la télépsychie volontaire, dans P.-Cl. JAGOT, *L'Influence à distance*, Dangles, pp. 128-131.

## Expérience directe à l'aide des cartes de Zener

Elles constituent un jeu de vingt-cinq cartes dont cinq reproduisent un rond, cinq autres une étoile, cinq une croix, cinq un carré et cinq un ondulé.

Vous vous installez à table tandis que votre partenaire se place de telle sorte qu'il ne puisse reconnaître les figures des cartes qui, après avoir été battues, sont étalées face contre planche. La personne attablée, qui retourne les cartes une à une, est l'émetteur ; celle qui reçoit le message le percipient.

Après les cinq minutes de calme et de concentration que requiert toute opération télépathique, vous, l'émetteur, prenez une carte au hasard, la regardez avec calme et dans le détail, et en intériorisez le motif. S'il s'agit d'un carré, par exemple, vous vous le représentez comme un cube tournant dans les airs. A ce moment, le percipient doit donner la figure de la carte.

Epuisez ainsi tout le jeu, en prenant note des bonnes réponses, de façon à en établir la proportion. Cinq bonnes réponses, ou moins, correspondant à la norme de probabilité, qui est donc de vingt-cinq pour cent, tout résultat excédentaire indiquera le degré de votre force de pensée, de votre pouvoir psi.

## Comment augmenter son influence sur quelqu'un ?

Gravez soigneusement son image dans votre esprit et exercez-vous à vous représenter son visage, trait par trait, et sa silhouette, aussi précisément que possible. Déterminez une demi-heure de la nuit, pendant laquelle vous êtes assuré de son sommeil ou, du moins, de son repos. C'est à ces moments de la huitaine qui précédera votre tentative, que vous mettez votre influence télépsychique à l'épreuve.

Confortablement installé, vous restituez mentalement son image, pendant cinq minutes. Cela étant, vous l'imaginez en train de parler et de marcher, vibrant à vos propos pensés avec énergie : « Je vous influence profondément ; chaque jour, je vous influencerai davantage ; vous avez la sensation d'être influencé par moi ; vous l'aurez chaque jour davantage ; bientôt, vous ne pourrez plus résister ; je veux que vous soyez influencé ; je vous sature de mon fluide. » Terminez en vous représentant la scène telle que désirée à l'instant voulu.

Vous devrez conserver la maîtrise de vous au cours de chacune de ces séances après lesquelles vous prendrez l'air et ferez des exercices physiques.

# *Exercices de télépathie radiesthésique ou de radiesthésie télépathique*

**1)** Le pendule qu'on tient en main doit, soit tourner, soit s'arrêter, selon la volonté du partenaire.

On lui demande de vouloir intensément, mais sans qu'il l'indique d'aucune manière, soit que le pendule se mette à tourner, soit qu'il reste immobile. De lui-même, le pendule devra se mettre à tourner au bout de quelques secondes, dans le premier cas ; dans le second cas, il restera immobile même si, consciemment, on essaie de déclencher un mouvement.

On s'applique à rester neutre, en n'imaginant rien du comportement du pendule qui exécute la seule volonté de l'assistant. Attendre quelques minutes avant de demander s'il y a conformité et recommencer un grand nombre de fois, afin d'apprendre à rester neutre sans essayer d'imaginer le désir de l'assistant. Dresser un bilan des réussites et des échecs.

**2)** On trace sur une feuille de papier deux flèches parallèles, mais de sens opposés. Conformément à la convention mentale prise, le pendule se met à osciller au-dessus des flèches. Puis, on demande à l'assistant qu'on vient d'inviter à entrer, de vouloir avec force que le pendule tourne plutôt que d'osciller, quand il passe au-dessus des flèches.

Recommencer. Mais, à ce moment précis de l'expérience, on oppose à la volonté de l'assistant la sienne propre, fondée sur la convention initiale. Que les girations persistent démontre l'insuffisance de notre démarche, au niveau de la précision et de l'intensité.

Ceci explique — et c'est très important — que la présence d'un tiers sur le lieu de l'opération puisse causer des erreurs.

**3)** Disposer sur une table quelques objets usuels. On demande à l'assistant de maintenir sa pensée sur l'un d'eux, sans que rien, fût-ce la direction du regard, ne révèle duquel il s'agit. Faire de même, au hasard. On formule alors la convention mentale selon laquelle le pendule tournera au cas où le même objet aurait été choisi, et restera immobile dans le cas contraire. Vérifier.

**4)** Conserver les mêmes objets disposés sur la table. L'assistant resté seul dans la pièce en choisit un du regard qui se veut intensément fixe. Notre rentrée décide de sa sortie, sans qu'aucune parole soit échangée. Ou bien l'attention se porte sur chacun des objets, ou bien le pendule est promené de l'un à l'autre : suivant notre convention, le pendule devra se mettre à tourner lorsqu'il s'agira de l'objet précédemment choisi par l'assistant. Ce qu'explique le phénomène d'imprégnation mentale.

## Processus télépathique en rapport avec la téléradiesthésie

— Se mettre en état passif, avec concentration de l'attention volontaire sur la personne qu'on veut influencer.
— En même temps qu'on se représente mentalement son visage, l'expression du désir doit manifester le genre d'opération mentale qu'on se propose d'accomplir. Exemple : « Je désire contacter mentalement telle personne afin qu'elle soit sensible à ma bienveillante volonté de la retrouver. » Il y a donc désignation mentale de l'objectif, propre à orienter la pensée.
— Exprimer la pensée qu'on veut transmettre. Exem-

ple : la révélation du lieu où la personne se trouve à présent.

— Comme il est utile de savoir si le message télépathique est parvenu et s'il a produit la réaction attendue, on aura convenu d'une sensation ou d'un réflexe particulier qui en témoigne. Remarquons que le message peut parvenir n'importe où, sans considération de distance, à condition de ne pas être porteur d'un lieu supposé.

## Rôle de l'imprégnation

Comme le rayonnement du corps exerce une pression sur les objets qu'il rencontre, au point d'en modifier le poids, on déduit qu'il s'accompagne obligatoirement d'un transport d'énergie lui permettant de pénétrer les obstacles, soit pour les traverser, soit pour y créer une réserve énergétique, constitutive de l'imprégnation.

Le rayonnement mental, issu de l'expression de la pensée, exerce lui aussi une pression dont l'intensité varie avec l'état affectif qui l'a créé. En raison de sa faculté d'imprégnation, ce rayonnement est lui-même capable de rémanence : les réserves d'énergie qu'il a accumulées en certains lieux, y ont sans doute engendré de ces phénomènes qui en appellent, dit-on, à « la mémoire des murs ».

**La rémanence** est due au séjour plus ou moins long d'un objet quelconque, en un lieu déterminé. Les rayonnements de l'objet y imprègnent plus particulièrement les surfaces de contact. Jusqu'à leur extinction, le lieu restitue les rayonnements laissés par l'objet, après qu'il en ait été enlevé. Comme il est assez difficile de les discerner d'avec ceux émanés du lieu même et que la rémanence rayonne aussi intensément que l'objet, quand il vient d'être enlevé, on comprend les méprises qu'occasionnent les recherches dans de vieilles demeures, dans des caves ou des souterrains susceptibles de receler des objets de valeur.

## Causes d'erreurs

— Le rayonnement des corps ne serait pas proportionnel à leur volume : les *traces* prévaudraient, parce que plus proches du stade de dissociation de la matière qu'un fragment dont toutes les parties sont fortement agglomérées.

— Rayonnement d'énergie restituée, la rémanence ne se présente pas toujours en un même lieu, avec la même intensité. Tantôt elle disparaît, tantôt elle réapparaît, s'affaiblit ou se renforce.

— L'imprégnation réciproque de deux ou plusieurs substances de natures différentes, dont les rayonnements se confondent.

Les rémanences les plus fortes proviennent des métaux, puis des matières organiques, des roches enfin. Il semble que le rayonnement émane plus intensément de la matière travaillée que brute. L'imprégnation est plus rapide quand elle est causée par un aimant sur un barreau d'acier, magnétiquement vierge.

## Enseignements

Entre des échantillons de métal ou de minerai et quelques feuilles de papier ne faisant pas buvards, on interpose une mince plaque de feutre afin d'obtenir une imprégnation homogène. En quelques minutes, les rayonnements imprègnent le papier qui gardera longtemps la rémanence des échantillons. On reconnaîtra sur chacune des feuilles, le caractère de la substance dont elles ont été imprégnées.

C'est l'imprégnation qui donne aux *témoins radiesthésiques* leurs propriétés conventionnelles. Par contact ou par influence, un témoin peut transmettre indéfiniment à d'autres objets la même charge que la sienne propre, qui ne s'en trouve pas affaiblie pour autant. Il y a bien transfert d'énergie exerçant une pression, de la part de l'objet qui émet le rayonnement initial. Mais la première imprégnation, cause du premier état de rémanence et rayonnement elle-même, se transmet à son tour sans pression. Alors qu'un état passager a été créé dans l'objet induit, le rayonnement inducteur initial ne s'éteint pratiquement jamais. Ainsi, les rayonnements émanant en permanence d'un individu, vivant ou mort, se retrouvent sur le cliché photographique et sur les tirages dont ils pourront disparaître avec le temps.

On trouve une analogie dans la transmission de magnétisme, par un aimant, à une quantité illimitée d'autres pièces d'acier, devenues à leur tour des aimants : paradoxalement, l'aimant originel s'en trouve plutôt renforcé qu'affaibli.

La durée de la rémanence varie avec la nature des objets imprégnés : six mois pour de menus objets personnels ; cinq ans pour un spécimen d'écriture ou une lettre ; quinze ans pour un vêtement ; proportionnellement à la force d'extériorisation mentale de la personne ayant habité une demeure, à savoir de deux à cinquante ans ; pendant des milliers d'années dans une sépulture hermétiquement close.

L'imprégnation, uniquement destructible par le feu, semble disparaître après quelques années d'un affaiblissement progressif, au point que seule une grande sensitivité permet de la déceler. De plus, elle peut n'être que superficielle et former des **empreintes**, des **impressions**. Voilà pourquoi, plutôt que d'empreintes digitales, non nécessairement visibles, et de plaques sensibles, on se sert d'écrits, d'imprimés et de photographies comme témoins.

# *Applications*

## Détection d'empreintes multiples

Il s'agit de retrouver l'imprégnation manuelle de quatre personnes au moins, auxquelles on a demandé de poser une main sur une feuille de papier, pendant deux ou trois minutes.

Toutes les feuilles sont rigoureusement semblables. Afin d'éviter toute suggestion, on n'assiste pas à la préparation de l'exercice. A aucun moment, il n'y aura de contact entre les personnes. Chacune indiquera au crayon son numéro d'ordre au verso de la feuille qu'elle aura manipulée et qu'elle placera ensuite sur la table, sans ordre préconçu.

Revenu dans la pièce, on recommande à tous une neutralité mentale absolue. On s'installe à un coin de la table ; entre une des feuilles prises au hasard et la main d'un participant posée à quelques centimètres, on maintient le pendule en oscillations. Il a été convenu de la persistance de celles-ci, si la feuille n'a pas été imprégnée par la main en question ; de ses girations, dans le cas contraire. L'opérateur et le partenaire qui fait face doivent rester absolument neutres, l'un en ne préjugeant de rien, l'autre en ne pensant pas à l'expérience. Si les oscillations persistent à se maintenir, on remplace la première feuille par une autre et ainsi de suite, jusqu'à obtention de la réaction, que l'inscription du nom de la personne indiquera.

Quand, ayant procédé de la sorte avec tout le monde, les résultats auront été tous notés, on les contrôlera en retournant les feuilles : chacun attestera ou non de la correspondance entre son numéro d'ordre et l'indication nominative du recto.

## Lettres anonymes

Une lettre constitue un témoin d'autant plus excellent qu'elle est anonyme. Un caractère particulièrement passionnel l'imprègne alors, même si son auteur l'a écrite, dactylographiée ou imprimée hors de son domicile.

En cours d'opération, on veillera à éloigner tout soupçon qui, autosuggestif par nature, anéantirait l'exigence de neutralité mentale. L'attention restera fixée sur la lettre dont on mentionnera le rayonnement dans chaque expression du désir.

On découvrira le lieu où elle a été écrite, en imprégnant le pendule du témoin disposé sur différents bords des cartes géographiques.

Si la détermination du lieu ne suffit pas à nommer l'auteur, on établira son signalement au moyen d'interrogations s'enchaînant avec précision.

## Vivant ou mort ?

La photo doit toujours représenter un sujet dans sa totalité, en pied et de face, les bras tombant le long du corps. S'il fait partie d'un groupe, on l'isolera au moyen d'un cache, de sorte qu'une ouverture suffisante le découvre entièrement.

**A.** La personne ayant été photographiée de son vivant (!), on formule ainsi le désir : « Je désire me rendre sensible au rayonnement caractéristique de l'état de vie émané de la personne représentée sous mon pendule. »

On attend que le pendule mis en oscillations au-dessus de la photo se mette à tourner. Conserver les girations pendant une minute, avant de le remettre en oscillations et interroger : « La personne dont l'image est sous mon pendule est-elle vivante ou morte ? »

Selon que son état de vie, dont on a acquis la sensibilité, s'est maintenu ou pas, il y aura de nouvelles girations positives ou maintien des oscillations, à moins que des girations négatives manifestent plus franchement l'état de mort. C'est affaire de convention.

**B.** En effet, on pourrait tout aussi bien considérer que toute photo recèle l'état présent de l'individu qui s'y trouve représenté. On se servira alors d'un témoin-étalon de vie ou d'un témoin-étalon de mort, constitué par la photo d'une personne quelconque, actuellement vivante ou morte.

Dans le premier cas, même formulation du désir, qui devient sinon : « Je désire me rendre sensible au rayonnement caractéristique de l'état de mort émané de la personne représentée sous mon pendule. » On laisse les girations, soit positives, soit négatives, se poursuivre pendant une minute.

Ainsi imprégné, le pendule est lancé, cette fois, au-dessus de la photo de la personne sur l'état de laquelle on s'interroge : « La personne dont l'image est sous mon pendule, est-elle vivante ou morte ? » Selon qu'il est ou non le même que celui dont on a acquis la sensibilité, on va obtenir des girations positives ou négatives.

On sait qu'un produit algébrique est positif ou négatif suivant que ses facteurs sont ou non de mêmes ignes. Par analogie, on dira que les états de vie et de mort se multiplient.

|  | Personne vivante (+) | Personne morte (−) |
|---|---|---|
| Témoin-étalon de vie (+) | Girations positives | Girations négatives |
| Témoin-étalon de mort (−) | Girations négatives | Girations positives |

# Personnes recherchées

Paru dans *le Courrier de Genève*, avril 1935.

### *Un disparu retrouvé*

*Au début d'avril, un ingénieur de Lyon disparut au cours d'un de ses voyages d'affaires sans que le moindre indice pût laisser croire à un acte de désespoir.*

*Un matin, comme de coutume, il se présenta à son bureau où, ce jour-là, il avait à rédiger un important rapport ; à midi, il rentra déjeuner chez lui et, l'après-midi, conduisit sa fillette chez le médecin, sans que ses proches aient pu remarquer quelque chose d'anormal en lui. Vers 4 heures, devant se rendre dans le Midi, il partit en automobile en direction de Valence ; il fit une halte en cette charmante ville, dans un restaurant où il avait habitude de s'arrêter, et là, abandonna son automobile.*

*Depuis, plus aucune trace de lui. La famille, mandée aussitôt, entreprit toutes recherches possibles pour retrouver le disparu, mais en vain.*

*Les proches parents se rendirent auprès de M. l'abbé Mermet afin d'éclaircir cette mystérieuse autant qu'inattendue disparition.*

*Après examen d'une photographie du disparu et muni d'un plan de la région, M. l'abbé fit une description complète du passage en différentes artères de Valence, jusqu'au Rhône, où il dut tomber ; il indiqua le trajet du corps dans le fleuve jusqu'à Aramon (Gard), où il devait reposer en un endroit déterminé. (Fait curieux, M. l'abbé affirma qu'il n'était plus en possession de toutes ses facultés mentales au moment de l'abandon de son automobile.)*

*Nantie de ces renseignements, la famille entreprit immédiatement les recherches qui amenèrent la découverte du corps à l'endroit indiqué par l'éminent sourcier...*

Suit la lettre de remerciements de la famille :

*Monsieur l'Abbé*

*... Puis vous avez suivi le trajet de son corps dans les eaux du fleuve et indiqué nettement l'endroit (Vivier, Ardèche) où il devait se trouver <u>au moment où</u>[1] vous avez bien voulu nous recevoir.*

*... Le corps a été retrouvé le jeudi 5 avril, à Aramon (Gard)...*

Paru dans *la Tribune de Genève*, 28 mars 1934.

### La disparition d'un enfant expliquée par la téléradiesthésie

*L'automne dernier (1933), à Miège, en Valais, un garçonnet de six ans, fils de M. L. Baloz, disparut sans qu'on ait pu retrouver ses traces. Après de vaines recherches effectuées par nombre d'habitants du village, le président de la commune écrivit à M. l'abbé Mermet, au nom des parents, en le priant de contribuer, par son art, à la recherche de l'enfant.*

*Après étude des circonstances de la disparition, M. l'abbé Mermet fit la déclaration suivante : « L'enfant a été emporté par un oiseau de proie jusque dans la montagne. » M. Mermet indiqua l'envergure des ailes de l'aigle et désigna deux points où l'oiseau avait dû déposer son lourd fardeau pour reprendre haleine.*

*Au premier endroit, on ne trouva pas trace de l'enfant ; sur ces entrefaites, de grosses chutes de neige empêchèrent les chercheurs de vérifier le second point. On en conclut que l'abbé s'était trompé.*

*Or, il y a une quinzaine de jours, la neige ayant disparu, des bûcherons ont trouvé, à l'endroit désigné par l'abbé Mermet, le cadavre du garçonnet, en partie*

1. C'est nous qui soulignons.

*déchiqueté. Il semble que l'oiseau de proie ait été empê-*
*ché de continuer son macabre repas par suite d'une*
*chute de près de deux mètres de neige.*

*Selon les constatations faites, les chaussures et les*
*vêtements de l'enfant n'avaient pas touché terre;*
*aucun autre animal qu'un oiseau de proie n'aurait pu*
*transporter l'enfant sur le point solitaire et difficile-*
*ment accessible où on l'a trouvé.*

Voici, parmi tant d'autres, officiellement attestés,
deux des plus célèbres exploits de ce surdoué[1], qui
démontrent les prodigieuses possibilités de la téléradiesthésie.

Commençons, quant à nous, d'apprendre une bonne
méthode qui ne pourra que bénéficier au talent.

## Exercice préalable de recherche sur itinéraire connu

Vous avez demandé à un ami de parcourir tel trajet en
voiture. Vous êtes à votre table de travail. A la droite
de la carte détaillée de la région, il y a la photo-témoin.
— Expression du désir : « Je désire me rendre sensible
à la présence, sur la route, de mon ami dont la photo
se trouve devant moi. »
— Pendule oscillant en main, vous faites suivre fort
lentement l'itinéraire à votre crayon-antenne, tout en
questionnant : « Mon ami est-il ici ? Ici ? ... »
— Suivant votre convention, quand la pointe arrivera
à l'endroit où se trouve notre voyageur, le pendule
tournera.

Il importe de suivre l'itinéraire routier en ne cessant
de penser à l'ami sur la photo de qui vous jetterez de
temps en temps un coup d'œil.

1. Abbé MERMET, *Comment j'opère*, Maison de la Radiesthésie,
Paris.

## Contrôle

Il a été convenu que l'ami choisisse de s'arrêter un certain temps, dans quelques localités. Quand il sera revenu, vous établirez la correspondance entre les lieux et les temps d'arrêt qu'il aura pris soin de noter et les points au-dessus desquels votre pendule aura persisté à tourner.

La répétition de cet exercice apprend à poursuivre un fuyard sans bouger, en l'accompagnant presque. Où qu'on se trouve, il suffit d'un plan où repérer une première fois — nous allons voir comment —, *l'objet du délit ou la personne kidnappée*, mais à la condition de disposer assez vite d'une identification fort précise. Ce qui, avouons-le, n'est pas évident.

S'il s'agit pourtant d'un objet personnel ou d'une victime assez proche, nul besoin de témoin ni de photo. La question sera : « Où est *ma* voiture ? » ; « Où est X, *mon* enfant ? » ...

### 1° On désire trouver directement l'endroit où le disparu se trouve actuellement (*première éventualité*)

Appliquer une des techniques précédemment exposées, mettant en œuvre le principe des droites qui se croisent orthogonalement, sur la carte ou sur le plan. On se souviendra plus particulièrement de la « méthode Le Gall », rapide et précise.

### 2° On désire également retrouver le chemin parcouru (*seconde éventualité*)

A défaut d'une photo comme témoin, on se sert d'un objet appartenant à la personne cherchée, qui l'a porté et touché de ses mains. Car l'imprégnation par les mains, pleinement effective après quelques minutes, est tenace.

On dispose d'un plan très exact et bien orienté du lieu d'habitation ou de séjour habituel, ou, s'il s'en trouve trop éloigné, de celui où le disparu a été vu pour la dernière fois.

— Sur un angle du plan, déposer le témoin.

— Par contact de deux minutes, en imprégner le pendule qu'ensuite on fait tourner au-dessus, pendant quelques instants.

— Placer le pendule, toujours en girations, au-dessus de l'endroit où le disparu a été vu pour la dernière fois.

— Expression du désir : « Je désire me rendre sensible au chemin que le disparu a parcouru en partant de cet endroit. »

— On convient mentalement que les oscillations pendulaires s'orientant dans le sens du chemin parcouru, dont elles suivent toutes les sinuosités, se transformeront en girations, au-dessus du point où le disparu se trouve actuellement.

— Il s'agit maintenant de redoubler d'attention pour bien analyser et interpréter les mouvements du pendule. En quittant son point de départ, il tend à redresser ses girations dans un sens bien déterminé, pour les transformer peu à peu en oscillations dont une moitié, par rapport à l'axe de suspension, tend à allonger l'amplitude. Le pendule semblant entraîné du côté où ses oscillations s'étendent le plus, on déplace lentement la main en suivant la direction indiquée par leur poussée, jusqu'à ce que, brusquement, de nouvelles girations se manifestent. C'est là que le disparu devrait se trouver.

— Si la recherche se prolonge, on « rechargera » le pendule au contact du témoin, avant de le relancer au point où on s'était arrêté.

— Tracer légèrement au crayon le chemin parcouru.

— Comme il arrive souvent que le parcours dépasse considérablement les limites du plan, sur lesquelles on arrive sans avoir rien trouvé, on étend la recherche à une carte de la région, aussi complète et détaillée que possible, en tenant compte des directions précédemment obtenues. Et s'il le faut, allant ici du plus petit au plus grand, on fera appel à la représentation d'espaces toujours plus vastes.

— Si la recherche conduit à un cours d'eau au-delà duquel on ne trouve rien, on conclut à la noyade. Le noyé se trouvera au point où le pendule persiste à tourner. Sinon les oscillations se poursuivent au fil de l'eau, jusqu'à obtention des girations.

Si la recherche sur place n'a pas lieu tout aussitôt, on vérifiera sur la carte si le corps n'a pas été entraîné par le courant. C'est bien ce qui s'était passé quand l'abbé Mermet situa l'emplacement du corps de l'ingénieur dans le Rhône : il y eut entre-temps déplacement en aval.

— Comme pour la recherche sur le terrain, on évaluera, si besoin, hauteurs et profondeurs en ayant convenu du mode de mesure.

Vous remarquerez qu'en ce temps de développement considérable des moyens de transport, la méthode peut sembler longue et fastidieuse. Afin de décider de celle-ci ou d'une autre, on appréciera certaines données : caractère et situation du disparu, circonstances de la disparition. C'est là affaire de perspicacité et de réflexion.

A présent, plus besoin de déceler l'orientation donnée par les oscillations. La main qui tient le pendule, cette fois oscillant, dessine une spirale fort serrée autour du point initial de la recherche. Repérer très précisément le point où les oscillations se transforment en girations. On continue de développer la spirale en attendant une nouvelle manifestation giratoire. Si le segment qui relie les deux points correspond plus ou moins à un tracé routier, fluvial ou ferroviaire, le pendule explore la voie du côté où il ne cesse de tourner et ce, jusqu'à la prochaine bifurcation autour de laquelle, si le réseau est fort dense, on développe à nouveau une spirale, et ainsi de suite. Si on aboutissait à un port ou un aéroport, on se munirait également d'une carte maritime ou aérienne, sur laquelle il y aurait peut-être lieu d'opérer de la sorte, etc. Le disparu devrait se trouver au tout dernier point où les girations n'ont cessé de se produire. Vérifier l'emplacement au moyen de la « méthode Le Gall ».

## Les écueils de la radiesthésie télépathique

Les informations d'ordre physiologique ne sont ni perturbées ni faussées par la personne disparue, encore que la question de vie ou de mort comporte un facteur émotif en provenance du demandeur et de l'opérateur lui-même.

Plus nombreuses, plus complexes, d'intensité plus variable selon les circonstances et les individus, sont les informations psychiques, souvent sujettes à des inhibitions ou à des contradictions.

Ainsi, si le disparu s'est simplement égaré et s'il souhaite retrouver les siens, les messages télépathiques qu'il émet intensément faciliteront la recherche. S'il s'agit d'un rapt, il désire évidemment échapper à ses ravisseurs et retrouver les siens, mais les informations émises peuvent être troublées par la peur et le danger. Quant au fugueur ou au délinquant en fuite, sa recherche est rendue autrement difficile parce que, désireux de passer inaperçu, il brouille télépathiquement la piste.

Un exemple de l'influence réciproque entre messages télépathiques nous est donné par la **chasse**. Le radiesthésiste indique l'endroit où doit se trouver du gros gibier. Or, quand les chasseurs arrivent sur place, ils ne trouvent que des traces toutes fraîches : le gibier, ayant perçu le danger, a déguerpi. Il en va ainsi lorsque la personne recherchée, télépathiquement avertie du danger d'être retrouvée, réagit en conséquence. A noter qu'on trouve plus facilement le gibier quand il s'agit de l'observer plutôt que de le tirer.

On évoque, à ce sujet, le **sens du danger** qu'à des degrés divers, les hommes et les animaux ont en partage. Ainsi, des personnes en fuite ou menacées, que l'inquiétude et la mise en alerte permanente rendent plus réceptives au danger, se déplacent constamment sans pouvoir se l'expliquer. Voilà qui contribue à expliquer certains échecs radiesthésiques ! Que des dirigeants écartent « d'instinct » certains hommes de leurs affaires relève d'ailleurs de la même prescience.

Tout se complique encore du fait que, dans le monde des liaisons télépathiques, il y a interaction de messages de toutes origines : personnes ayant connu le disparu, demandeur des recherches, complices en cas de fugue, auteurs du rapt, journalistes, policiers, l'opinion publique en général. Au point de brouiller les pistes et de provoquer le fading dans le chef du radiesthésiste.

Les renseignements fournis par le demandeur surtout, l'hypothèse qu'il retient, se fondent généralement sur des considérations affectives qui, inconsciemment ou pas, occultent les données objectives ou les minimisent. Et le message télépathique manifestant le même désir porte évidemment la même orientation.

## Comment surmonter ces obstacles

### • Contrôle des renseignements

On soumettra l'hypothèse du demandeur à un examen critique. On l'écartera provisoirement même, pour s'assurer des données que le demandeur a négligées, sous-estimées ou délibérément cachées pour une raison quelconque. C'est pourquoi on commencera par procéder à une étude physiologique et psychique du disparu, à la recherche des conditions matérielles et morales où il se trouvait, ensuite. Le cas échéant, on procédera même à l'étude psychologique du demandeur, qui découvrira ses tendances et ses mobiles.

## • **Maîtrise de sa propre affectivité**
On fera fi de tous sentiments passionnels qu'emportent le désir et l'orgueil de trouver. De même, on ne se laissera pas impressionner par la souffrance morale du demandeur, parfaitement compréhensible au demeurant. Nul sentiment n'entamera notre sérénité, nécessaire à la concentration dont se nourrissent une orientation et une convention intenses et précises.

## • **Maîtrise intellectuelle**
Au nom de l'indispensable neutralité, on se refusera à toute hypothèse, à toute piste, qu'une seule donnée, initiale ou apparue, suffirait à faire envisager ou imaginer. Notre faculté de raisonnement se mettra au seul service de la technique exploratoire.

La recherche désintéressée des disparus, sans doute la plus belle, est aussi la plus difficile parce qu'y entrent des qualités techniques, morales et mentales assez parfaites, auxquelles un entraînement assidu permet d'atteindre.

# CHAPITRE III

# Radiesthésie prémonitoire

Nous avons dit qu'abstraite du milieu ambiant, la pensée ne s'embarrasse plus des notions de distance et de temps. Ainsi dotée des facultés d'ubiquité et d'intemporalité, ses perceptions mentales et matérielles, aussitôt transmises à l'inconscient, se manifestent sur un plan unique, sans nuances ni relief. De là, viennent les faits de perception à distance et ceux, typiques de l'aptitude à rétablir la chronologie, de prémonition radiesthésique ou de radiesthésie prémonitoire.

L'inexistence des facteurs temps et espace est prouvée par la téléradiesthésie puisque, quelle que soit la distance de l'objet de la recherche, la pensée l'atteint instantanément. Si la distance n'existe pas, il n'y a pas de temps nécessaire à son franchissement. Il suffit qu'un fait existe en puissance, quelque part dans l'esprit de quelqu'un, sous forme d'idée ou d'intention, ou dans un groupe de circonstances convergentes, pour qu'il soit prévisible, indépendamment de son éloignement réel dans le temps et dans l'espace. Hier expliquant aujourd'hui où demain se trouve déjà, invoquer le hasard, c'est ignorer les causes.

Si donc plusieurs phases d'un même événement doivent s'accomplir successivement, l'inconscient les perçoit sur un plan mental unique, dans la première phase de la recherche. Grâce à des rappels amenant des réponses successives, d'autant plus nombreuses et précises que l'inconscient aura été sollicité avec habileté, le radiesthésiste rétablira le processus événementiel. A même d'en reconnaître le début et le terme, il aura réalisé ainsi un fait de prémonition.

La prémonition radiesthésique concerne donc un enchaînement de faits dont le premier a été accompli ou est en cours. La conclusion ne s'imposera immédiatement qu'à une double condition.

### 1° Le cas doit être fort simple

Il arrive alors que l'inconscient fournisse anticipativement la réponse, sans qu'on l'en ait sollicité. Sinon, la complexité commande de fragmenter l'opération : la première question reçoit sa réponse qui détermine à son tour la question suivante et ainsi de suite, cependant que les analyses subséquentes exigent souvent un temps de réflexion permettant de se forger une opinion, de s'orienter, à l'abri de toute influence étrangère.

### 2° Le processus intermédiaire doit se dérouler normalement

La conclusion ne peut s'obtenir directement que moyennant un enchaînement logique, inéluctable, de circonstances que rien ni personne ne viennent modifier, ni imprévu ni inadaptation de l'opérateur à la nature de la recherche.

La recherche prémonitoire concerne la connaissance anticipée de tout ce qui a trait à un mode ou à une date factuels : détails, échéances, lieux de destination, classement ordonné dans la succession des faits, nouvelles espérées ou attendues, intentions d'autrui, jeux de hasard, pronostics, etc.

## Un exemple

Choisissons un **exemple simple et cohérent de radies-thésie télépathique, à caractère prémonitoire.**

De son propre chef et sans avertir personne, quelqu'un décide de quitter son domicile pour se rendre dans un lieu et à une date connus de lui seul. Malgré toutes ses précautions de n'en rien laisser paraître, son nouveau lieu de séjour pourra être découvert *avant* qu'il y soit parvenu, même si, pour déjouer les recherches, il s'attarde en route et fait des détours. L'important est que son intention d'y parvenir persiste dans son esprit. A cette même condition, on n'ignorera pas davantage son dessein subit de se rendre ailleurs. C'est qu'au début de la recherche sur plan, une relation télépathique se sera établie entre l'opérateur, un proche de préférence, et lui.

Supposons que ce proche désire savoir s'il recevra de ses nouvelles et quand, si le retour espéré est probable. Les éléments qui en décideront préexistent sans doute dans le seul esprit du fugueur. A l'inconscient du proche, répondant à l'expression du désir et à l'interrogation, il revient de les analyser et d'en déduire le résultat.

### La question de recevoir des nouvelles

— Pendant que le pendule oscille au-dessus du témoin, l'opérateur se représente mentalement l'image de l'absent.

— Expression du désir : « Je désire me rendre sensible à l'arrivée des nouvelles que j'attends de X. »

— Interrogation : « Recevrai-je, oui ou non, des nouvelles de X ? »

— Si oui, le pendule se met en girations positives ; si non, il continue à osciller ou entre en girations négatives. C'est affaire de convention.

— Si oui, renouveler l'expression du désir.

— Question : « Dans combien de jours recevrai-je des nouvelles de X ? 1 jour ? 2 jours ? 3 ? Etc. »

— Les girations positives correspondront au nombre de jours attendu.

## La question du retour

— Expression du désir : « Je désire me rendre sensible au retour de X. »

— Question : « X reviendra-t-il, oui ou non ? »

— Si oui, même expression du désir.

— Question : « Dans combien de jours, X reviendra-t-il ? 1 jour ? 2 jours ? 3 ? Etc. »

— Mêmes conventions que précédemment.

Si on opère pour le compte d'autrui, l'expression du désir devient : « Je désire me rendre sensible à l'arrivée des nouvelles (au retour) de X qui est attendu par Y, ici présent. » Et si cette personne pour laquelle on opère est absente, on évoquera son nom dans la formule, en se la représentant mentalement.

Antoine LUZY, à qui nous nous référons volontiers, comme pour ces exemples[1], relève l'analogie entre l'énumération lente des nombres représentant des fractions de la durée et celle des nombres représentant des fractions de la profondeur d'une eau souterraine. « La profondeur inconnue et attendue comme existant réellement en puissance dans le sol, donnant lieu à une détermination *avant* qu'elle soit matériellement constatable et vérifiable, n'est-ce pas là une sorte de prémo-

---

1. La lecture de *Radiesthésie moderne, Théorie et pratique complètement expliquées,* Ed. Dangles, constitue un approfondissement précis, rigoureux, d'un processus éminemment psychologique.

nition dans le temps et dans l'espace, à brève échéance ? », s'interroge-t-il.

Et que dire de cette analogie si frappante, trop théorique pour en débattre ici plus longuement, entre la radiesthésie, la voyance et la divination ?

La perception à distance nous a permis de comprendre que ni l'espace ni le temps n'importent en radiesthésie. L'inconscient sollicité à propos d'une question précise recueille instantanément l'information pour le compte du conscient qui la lui a demandée. On sait que seules des questions appropriées restituent les rapports spatiaux et temporels. Il en va fondamentalement de même en voyance. On pourrait même considérer que, dans un cas comme dans l'autre, nos limites sensorielles recommandent l'usage de supports : pendules et baguettes ici ; là, cartes, main, boule de cristal, écriture, peinture, dessin, etc. Mais, objectera-t-on, la voyance pure, qui s'exerce sans support, n'a pas d'équivalent en radiesthésie. Eh bien ! si. La *radiesthésie mentale* — qualification pléonastique — existe : toute réaction instrumentale est superflue quand l'esprit peut capter les réponses sous forme d'images, de nombres, de mots ou d'idées. Convenons, au passage, de l'aspect moins assuré et particulièrement épuisant du procédé.

A condition que la voyance et la divination se départissent d'une perception globale, trop souvent confuse et imaginative, il est permis de considérer que la radiesthésie est une forme exigeante et précise de voyance.

# QUATRIÈME PARTIE

# Radiesthésie médicale

## Avertissement

Un exposé de radiesthésie générale, qui n'aborderait pas le domaine fort controversé des applications médicales, serait forcément incomplet. Nous n'en exposerons les principes de base que moyennant une sévère mise en garde.

On comprend que la prétention de diagnostiquer et de guérir par des moyens considérés comme hasardeux pose problème. C'est pourquoi la loi réserve très expressément aux seuls médecins le droit de poser des actes médicaux. Aussi, tout radiesthésiste non-médecin qui pratiquerait, même en présence d'un médecin, serait passible de poursuites pour exercice illégal de la médecine.

Les radiesthésistes sont évidemment nombreux à s'insurger contre cette exclusion. Le Gall remarque plaisamment : « ... On pourrait découvrir une caverne dans un sous-sol, mais non dans un poumon ; une fissure de terrain et non celle d'un anus ? ... Le médecin qui professe cette opinion nous rappelle celui qui nous refusait la possibilité de découvrir un orteil sur une planche anatomique, mais qui, un mois plus tard, nous demandait de rechercher sur plan, la montre qu'on venait de lui voler. »[1]

1. *Op. cit.*, p. 95.

Si la remarque se justifie pleinement d'un point de vue technique, convenons tout de même que découvrir une caractéristique géologique ou rechercher un objet n'engagent qu'une responsabilité toute matérielle. La recherche de personnes disparues doit déjà s'entourer de circonspection, car l'annonce d'une mort plongerait l'entourage dans le désespoir et pourrait entraîner l'abandon des recherches. Dès lors qu'il s'agit de la santé d'autrui, on mesure l'ampleur du péril.

Plutôt que de donner licence de s'exercer à des talents hypothétiques, la société s'entoure normalement de garanties fondées sur des critères objectifs de reconnaissance. C'est pour y satisfaire que le Syndicat national des Radiesthésistes de France a proposé la création d'une commission d'enquête qui délivrerait des certificats d'agrément, sur la base de résultats obtenus par des radiesthésistes non-médecins[1]. On jugerait ici des fins alors que les médecins sont uniquement tenus des moyens scientifiquement reconnus.

Dans l'état actuel des connaissances et pour ce qui concerne la médecine classique ou allopathique, nous considérons que les restrictions suivantes s'imposent.

1) Quiconque a liberté d'exercer sur lui-même et éventuellement sur un proche parfaitement averti et consentant, mais à la condition de connaître suffisamment l'anatomie, la physiologie et la pathologie, et de **toujours soumettre au diagnostic médical son diagnostic radiesthésique, de caractère exclusivement préventif.**

2) La pratique de la radiesthésie médicale par le médecin lui-même présente le plus de garanties puisqu'il y a contrôle automatique, en même temps qu'elle accrédite les possibilités inouïes de notre art, en ce domaine comme dans d'autres. Le contrôle s'exer-

---

1. Dans la brochure, *Le Malade face aux médecins et aux guérisseurs.*

cera également à propos de la thérapeutique dont seul décide le praticien.

En introduisant la sourcellerie, nous écrivions que « faculté de porter un jugement de valeur sur tout problème posé par la recherche, la radiesthésie moderne ne peut se départir de connaissances dans les domaines auxquels elle s'applique et qui sont ses sciences auxiliaires ». Ici, pas besoin d'entraînement : les connaissances du médecin sont déjà inscrites à tous les niveaux de sa conscience. Nous ajoutions : « On voit cependant bien l'écueil qu'il y a à se laisser suggestionner, non seulement par les apparences, mais aussi par un savoir trop établi. Pas de préjugé exploratoire, donc… » En effet, l'avantage de la maîtrise scientifique présente un risque énorme d'autosuggestion, dans le processus radiesthésique. C'est pourquoi les efforts du médecin, tendant à obtenir une neutralité mentale qui n'entrave pas l'action inconsciente, seront particulièrement exigeants. Autrement dit, les facultés conscientes qui serviront au diagnostic médical ne peuvent interférer dans le diagnostic radiesthésique.

## Apport du diagnostic radiesthésique

Confrontées au vivant, les données scientifiques doivent être constamment réévaluées et contrôlées. Un scientisme trop rigoureux, oublieux de ce que la médecine est aussi un art, néglige inévitablement le sens du diagnostic, un choix suffisamment personnalisé des thérapeutiques et la psychologie du malade, toutes qualités intuitives que la radiesthésie développe précisément. Celle-ci permettra l'appréciation des données dont le praticien dispose à chaque instant de la consultation : observation du patient, examens divers, élaboration du diagnostic, choix et dosage minutieux du remède.

Surtout, le diagnostic radiesthésique, essentiellement causal, étiologique, complétera le diagnostic médical, le plus souvent clinique et symptomatologique. On s'efforcera donc de cerner les causes du mal, de les sérier selon leur enchaînement et leur degré de détermination, en posant les questions les plus judicieusement adéquates. On ne s'étonnera donc pas que les diagnostics diffèrent, qui distinguent, l'un les causes, et l'autre les effets : la science du praticien consiste précisément à concevoir leur liaison et à les éliminer de la manière la plus efficace.

## Opérer sur le patient lui-même

### Localisation

Comme il convient d'opérer avec tact et délicatesse, toutes les paroles doivent tendre à mettre le patient en confiance et à le réconforter d'autant plus que l'état de son émotivité risque d'affecter sa musculature lisse, sa circulation sanguine et sa respiration. Il est prié de ne pas parler de ses troubles, ni d'y penser.

Vous vous tenez calme et détendu, face à lui qui reste debout. La pensée intensément orientée sur sa personne, vous promenez lentement la baguette à quelques centimètres des principales parties de son corps, étant entendu que la saute vers le haut se produira à hauteur de l'élément morbide.

Bien que servant plutôt à préciser et à confirmer ce **diagnostic sommaire**, le pendule peut également aider à l'établir. Il tournera positivement quand l'index de la main libre, explorant à quelques centimètres du corps, se trouvera à hauteur de la partie malade.

## Confirmer

Le patient est assis, mains sur les genoux. Pendant que la main libre reste ouverte à quelque distance de la partie du corps circonscrite, le pendule oscillant, qui explore la planche ou le schéma anatomique correspondant, doit tourner au-dessus de la représentation de l'organe affecté.

## Préciser

Assis en face de vous, le patient a posé une main à plat sur la table. Alors que le pendule oscille au-dessus de sa paume, vous posez l'index de votre main libre sur la représentation de la partie anatomique où le mal a été localisé. Vous convenez mentalement que les girations se produiront quand votre pensée sera dirigée vers tel point précis de la planche ou du schéma. Si ceux-ci sont suffisamment détaillés, l'orientation de la pensée pourra s'accompagner de la désignation par l'index.

N'oubliez pas de toujours mentionner l'organe prospecté dans la question et, quand il y a lieu, tenez successivement les différents témoins-microbes et parasites, dans votre main utile.

En inspectant consciencieusement chaque organe de chaque système, vous obtiendrez un tableau complet des déficiences que vous confronterez, enfin, aux sensations décrites par le malade.

**N.B.** Dès lors qu'on entend se passer de planches anatomiques, la localisation risque de demeurer imprécise en raison du voisinage et de la superposition des organes. C'est pourquoi, on se contentera de témoins graphiques qui, tenus successivement dans la main libre, aideront à se concentrer sur l'organe ou l'affection qu'ils désignent de leur nom, éventuellement accompagné d'un croquis schématique ; à moins que, s'étant suffisamment entraîné sur un plan anatomique à volets mobiles, conçu comme témoin artificiel, on explore le corps avec l'index de la main libre en attendant la réaction instrumentale.

## Diagnostic

En attendant que le pendule tourne, successivement, vous posez l'index sur les noms ou les représentations des maladies susceptibles d'affecter l'organe repéré, ou bien vous tenez en main les échantillons microbiens et parasitaires, coupes histologiques, etc.

### Degré de gravité

On peut convenir d'oscillations qui le situent sur un cadran élémentaire ou d'une échelle estimatoire sur la règle universelle.

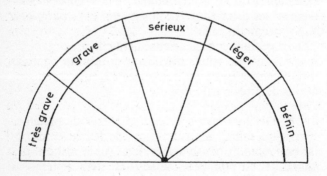

## Télédiagnostic

Le diagnostic sur planche représente déjà une application téléradiesthésique. Comment réaliser le télédiagnostic proprement dit ?

Mèche de cheveux, goutte de sang recueillie sur un buvard, échantillon d'urine, extrait physiologique... ou photo du sujet examiné constituent des témoins.

— Afin de l'en imprégner, faire tourner le pendule au-dessus du témoin, pendant une dizaine de secondes.

— Expression du désir : « Je désire me rendre sensible à la présence de la maladie pouvant exister dans l'organisme représenté par le plan-témoin. »

— Maintenir le pendule en oscillations, au-dessus du témoin.

— Avec l'index de la main libre ou la pointe du crayon en antenne, sur la planche, explorer chaque organe dont on suit le pourtour.

Comme il a été entendu que l'entrée en girations situe le mal, une exploration méthodique de l'organe atteint s'impose. En s'ovalisant chaque fois qu'on s'écarte du tracé correct, les girations guideront votre antenne dans la localisation précise et la représentation d'un ulcère gastrique, d'une caverne pulmonaire, d'un corps étranger, d'une fracture, etc.

Possibilité est ainsi donnée de déterminer, à partir d'une photo, la maladie ayant entraîné la mort.

Parmi de nombreuses autres méthodes, citons celle du **disque porte-témoins** dont le centre est occupé par un témoin-personne quelconque et la périphérie par les tubes-témoins, organes puis maladies. On voit qu'on se passe, ici, tant de témoins réels que du sujet[1].

---

1. Dans Michel MOINE, *Guide de la radiesthésie*, Stock.

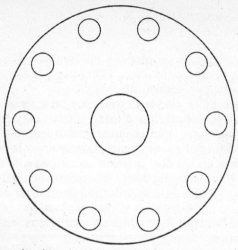

**Disque porte-témoins**

Par ailleurs, nous recommandons aux sensitifs de s'exercer à l'exploration à main nue. La main utile, dont le creux est tenu à quelques centimètres du corps, en explore très lentement et successivement toutes les parties. La sensation de fraîcheur, que maintient un état de santé normal, se transforme en sensation de chaleur, en présence d'un organe malade.

# La question médicale

Nul ne niera ce que la médecine doit aux progrès de la science, cependant que les inconvénients ci-après s'ensuivent : meilleure connaissance du fonctionnement organique, mais perte de la notion du malade ; primauté du diagnostic pathologique sur le diagnostic étiologique ; accroissement de l'arsenal thérapeutique et disparition de la prescription magistrale, de nature spécifique ; remèdes à effets immédiats, qui ne s'attaquent pas aux causes fondamentales.

En réaction à ces tendances où la personne et la prévention tiennent pour moins, des systèmes, préexistants pour la plupart, se développent, qui devraient être perçus de manière complémentaire, non concurrentielle, et que les moyens informatiques pourraient contribuer à intégrer.

# Les thérapeutiques douces ou naturelles

Parce que les remèdes toxiques ne sont délivrés que moyennant une ordonnance médicale, d'abord, que sa conscience lui interdira de faire encourir le moindre risque au malade, ensuite, le radiesthésiste non-médecin ne recourra qu'aux thérapeutiques naturelles : diététique, phytothérapie, magnétisme, ostéopathie, acupuncture, psychothérapie, etc.[1]

Nous avons appris à reconnaître radiesthésiquement l'organe malade. En travaillant sur des planches anatomiques, on peut même, à l'aide du **scripto-pendule de**

1. Lire G. DELUCHEY et P. KANTER, *Choisissez votre médecine*, Marabout Service n° 603.

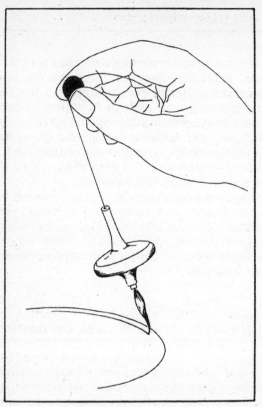

Le scripto-pendule de Jean Auscher.

Un pinceau le termine, assez souple pour que son frottement sur le papier ne modifie par les mouvements du pendule, assez rigide pour ne pas s'écraser. Les mouvements sont enregistrés, soit par balayage continu, soit par de nombreux pointés qu'on pourra joindre linéairement. On obtient ainsi des informations beaucoup plus riches et plus nuancées que les réponses par « oui » ou par « non » et que les comptages. Etant entendu qu'ils sont dotés chacun d'une signification précise, les mouvements obtenus consistent en battements plus ou moins amples, plus ou moins rapides, en rotations d'amplitudes et de vitesses différentes.

**Jean Auscher**, entourer la région d'un graphisme qui, non seulement localise le mal, mais en évalue aussi la gravité.

Toutefois, le **traitement** de la maladie **organique** ou **lésionnelle** est du ressort exclusif du médecin allopathe, à qui il appartiendra d'adapter la technique de recherche thérapeutique, employée en radiesthésie homéopathique. Car l'homéopathie convient merveilleusement bien au traitement de la maladie **fonctionnelle**.

## Principes homéopathiques

### La loi de similitude

Au contraire de l'allopathie qui traite les maladies par leurs contraires (antibiotiques, anticoagulants, antidépresseurs, etc.), l'homéopathie use des semblables. Il s'ensuit que celle-ci s'inspire de la **loi universelle de similitude** : la découverte de la substance qui a engendré chez l'homme sain les mêmes symptômes que ceux présentés par le malade, détermine le choix du médicament. Ce choix dépend donc de la similitude entre symptômes relevés, les uns dans le *tableau symptomatique expérimental*, les autres dans le *tableau symptomatique clinique*.

Il existe pourtant des thérapeutiques que dégage le *raisonnement analogique*, par lequel la **ressemblance** entre la maladie à traiter et le médicament à lui opposer se substitue à l'expérimentation sur l'homme sain. C'est le cas de la *para-homéopathie* dans laquelle se rangent
• l'*organothérapie* : dilution d'un organe animal, en

raison de sa ressemblance avec l'organe à traiter ;

• la *gemmothérapie* : dilution de bourgeons de plantes, en raison de la ressemblance entre les modifications biologiques qu'ils ont expérimentalement provoquées chez des animaux, et celles observées au cours de la maladie à traiter ;

• la *lithothérapie* : en raison de la ressemblance entre la boule terrestre et l'embryon primitif, assimilation de certaines pierres naturelles, à diluer, aux organes humains ;

• *les sels de Schuessler* : l'action de chacun des douze sels dilués, qu'on trouve dans les cendres des tissus organiques, ressemble à celle de leur organe originel.

Faute d'expérimentation sur un individu sain, il y a cependant risque d'imprécision en matière de thérapeutique fondée sur l'analogie, que prônait Paracelse dans sa «doctrine des signatures», à caractère ésotérique[1]. Ainsi, on ne doit qu'au hasard, l'appropriation du suc de la grande chélidoine au foie dont la bile est également de couleur jaune ; celle de la fleur de « la bourse à pasteur », qui ressemble à un utérus, aux maladies gynécologiques.

## L'infinitésimal

Les doses infinitésimales sont plus actives et moins dangereuses que les doses pondérables de la substance à prescrire. Elles n'agissent, en effet, que dans la mesure où le médicament a été correctement choisi selon la loi de similitude.

On tire la substance de base d'un des trois règnes de la nature. En provenance d'un animal ou d'un végétal, qui ont macéré dans un mélange d'eau et d'alcool, elle constitue la **teinture-mère** (ou T.M.).

---

1. De même, si l'astrologie peut intégrer la loi de similitude dans le vaste système de l'analogie, cela ne signifie pas que l'homéopathie relève de l'occulte comme la *chirologie*, par exemple.

## La *dilution* ou premier temps de la préparation d'un médicament homéopathique

### • Basses dilutions ou dilutions décimales

1 cm$^3$ de la substance de base mélangé à 9 cm$^3$ de solvant (eau + alcool) donne la « première décimale hahnemanienne » ou « 1 DH » ou « 1 X ». En partant de 1 cm$^3$ de cette 1 DH et en ajoutant 9 nouveaux cm$^3$ de solvant, on obtient une deuxième dilution appelée « deuxième décimale hahnemanienne » ou « 2 DH » ou « 2 X », qui représente une dilution au 1/10 de la 1 DH, soit une dilution au 1/100 ou 1/10$^2$ de la substance de base, etc.

### • Hautes dilutions ou dilutions centésimales

1 cm$^3$ de la substance de base mélangé à 99 cm$^3$ de solvant donne « la première centésimale hahnemanienne » ou « 1 CH ». En partant de 1 cm$^3$ de cette 1 CH et en ajoutant 99 nouveaux cm$^3$ de solvant, on obtient une deuxième dilution appelée « deuxième centésimale hahnemanienne » ou « 2 CH », qui représente une dilution au 1/100 de la 1 CH, soit une dilution au 1/10.000 ou 1/100$^2$ de la substance de base. A partir de la 2 CH, une nouvelle dilution donne la « 3 CH », soit une dilution au millionième de la substance de base ou 1/100$^3$. On peut aller ainsi jusqu'à la « 30 CH », malgré qu'à partir de la 12$^e$ dilution, il ne devrait plus rester de molécule de base dans la préparation, le nombre d'Avogadro ayant été théoriquement dépassé.

La pratique couronnée de succès devance ici l'explication, sans doute fondée sur l'activation énergétique, sur la puissance dynamique des médicaments.

## La *dynamisation* ou deuxième temps de la préparation des médicaments homéopathiques

Entre chacune des déconcentrations ou dilutions, on

procède à des secousses mécaniques afin de provoquer une agitation moléculaire.

## Choix des dilutions ou posologie

Plus étroite se trouve la similitude entre les symptômes du malade et l'expérimentation du médicament à prescrire, plus haute sera la dilution. On situe la dilution moyenne à 9 CH.

## Les médicaments homéopathiques

### Toxicité des remèdes

Elle se trouve en raison inverse du nombre de dilutions, même si le nom du médicament évoque un produit toxique comme ARSENICUM ou OPIUM. Indépendamment de la prudence à observer à propos des médicaments en teinture-mère, en décimal, en 1 CH ou 2 CH, l'usage d'un médicament qui serait inapproprié, donc inactif, ne présente aucun danger. Rien à voir cependant avec la neutralité du *placebo*.

### Leur présentation

• *Granules en tubes* : gros comme deux têtes d'épingle en verre, ils sont généralement pris par trois, plusieurs fois par jour.
• *Doses de globules* : on prend tous les petits grains contenus dans le tube, en une fois.
   Toutes les formes de présentation habituelles peuvent être prescrites en homéopathie : suppositoires, ampoules buvables ou injectables, pommades, ovules, comprimés. Les **gouttes** et les poudres ou **triturations** sont courantes.

**Leur absorption**

Mettre directement les granules ou les globules sur la langue et les laisser fondre lentement. Ne pas toucher avec les doigts. Pour les granules, se servir du bouchon-doseur afin de les compter.

**Leurs antidotes**

— Le *camphre* : vérifier s'il n'y a pas de camphre dans une formule de gouttes nasales ou de pommade révulsive.
— La *camomille* et la *menthe* : éviter leur consommation pendant un traitement homéopathique et utiliser un dentifrice sans menthe.

**Horaire de prise des médicaments**

• Les *granules* : trente minutes avant les repas.
• Les *doses* : le matin à jeun, une heure avant le petit déjeuner.

**D'autres remèdes de la sphère homéopathique**

Nous avons parlé des thérapies propres à la para-homéopathie. D'autres désignations courantes gravitent dans la sphère homéopathique.
• Les **biothérapiques** ou **nosodes** définis comme « des médicaments préparés à l'avance et obtenus à partir de produits d'origine microbienne non chimiquement définis, de sécrétions ou d'excréments, pathologiques ou non, de tissus animaux ou végétaux et d'allergènes ». Il s'agit donc de produits pathologiques ou responsables de pathologie, dilués selon le mode habituel à l'homéopathie ; d'une *prescription de l'agent causal*

*de la maladie* : microbes, toxines microbiennes, vaccins, sang, prélèvement d'éruption cutanée, etc. Non constitutifs du traitement principal, ils permettent toutefois de «lever un barrage», de faire réagir le malade en cas d'infections ou d'allergies.

• Les **isothérapiques** ou **isopathiques** sont des dilutions préparées selon la méthode homéopathique, à partir de substances responsables de la maladie à traiter. On distingue :

— les *auto-isothérapiques*, prélèvements faits sur le malade afin d'en recueillir l'agent causal de la maladie, le plus souvent un microbe. La dilution obtenue à partir de sang, de pus, d'urines, de sécrétions nasales, d'expectorations, constitue une sorte d'autovaccin.

— les *hétéro-isothérapiques*, préparés à partir d'une substance étrangère au malade, mais supposée responsable de ses troubles. Exemples : une lessive ayant provoqué un eczéma ; poils de l'animal familier, générateur d'asthme ; pollens ; médicament allopathique, cause d'une allergie.

Comme les biothérapiques, les isothérapiques servent à « lever un barrage » et accompagnent un traitement de fond, cependant que, spécifiques au malade, ils sont préparés à la demande du médecin.

A la différence du médicament homéopathique, qui est fait à partir du « semblable » (une substance donnant les mêmes symptômes que l'agent causal, mais de nature différente), les isothérapiques sont faits à partir de l'« identique », de l'agent causal lui-même.

• Les **oligo-éléments** sont des éléments vitaux qui se trouvent dans le sang en très petite quantité et contribuent à l'équilibre biologique général. Thérapeutique naturelle dont se servent les homéopathes, elle n'est cependant pas fondée sur la loi de similitude puisque les doses utilisées, quoique très petites, sont encore pondérables[1].

---

1. Dr. R. MOATTI, *Les Oligo-éléments*, Guide Marabout (nº 35).

• Les **complexes homéopathiques**

Certains médecins et la plupart des guérisseurs prescrivent des mélanges de médicaments homéopathiques, sous forme de gouttes. Ces *formules composées* peuvent avoir une action thérapeutique passagère du fait que le bon traitement, noyé dans la masse des substances, a toutes chances de s'y trouver. D'effet superficiel et passager, elles ne constitueront jamais un traitement de fond.

## La conception homéopathique du malade et de la maladie

Nulle recette en homéopathie, nul médicament omnibus. Que le **choix** thérapeutique s'opère spécifiquement au cas particulier — ce qu'on appelle *individualisation* — signifie qu'il faut sélectionner un traitement parmi plusieurs possibilités, celui qui répond à l'ensemble des symptômes présentés.

Médecine synthétique qui envisage chaque individu dans sa totalité, l'homéopathie envisage le médicament le plus apte à exalter le *mode réactionnel*, entendu comme l'aptitude de l'organisme à chasser la maladie et que traduisent les symptômes, manifestation du *dynamisme vital*.

Aussi, le traitement homéopathique s'accompagne, au début, d'une intensification ou d'une résurgence des symptômes. L'*aggravation médicamenteuse*, survenant particulièrement à l'occasion d'un traitement de fond, signifie — paradoxe apparent — un choix correct du traitement et la réaction de l'organisme. Sa cessation s'accompagne d'une diminution des symptômes, suivie de la guérison comprise comme le retour à l'*équilibre dynamique*, à l'équilibre entre les agents externes qui agressent l'organisme et celui-ci qui leur résiste.

On distingue trois *types de traitements*.

## Le traitement symptomatique

Ne visant que les troubles, il n'a en vue que les maladies passagères et, s'il ne tient pas compte de l'état général, opère une simple *suppression*. La persistance et la chronicité des symptômes en appellent cependant à un traitement de terrain.

## Le traitement de terrain

Le *microbe* n'est rien sans l'état de l'organisme qui l'accueille, sans la *diathèse* que le *Petit Robert* définit comme « la disposition générale d'une personne à être atteinte par un ensemble d'affections de même nature, simultanément ou successivement ».

Pour renforcer l'organisme, un traitement de terrain ou « de fond », curatif ou préventif, s'impose. Il faut alors dépasser la simple notion de symptômes locaux et synthétiser toute une tranche de vie, parsemée de troubles pathologiques. A noter que, depuis la découverte de certains antigènes tissulaires, spécifiques à chaque individu, l'*immunologie* tend à rejoindre l'homéopathie au niveau de la conception du système de défense de l'organisme.

## Le drainage

Il s'agit de formules composées, d'associations, qui préparent les organes à l'action d'autres médicaments.

Sachons enfin que, si la connaissance de la *cause de la maladie* aide à trouver le médicament approprié, elle ne revêt pas de caractère absolument indispensable puisque, en tout état de cause, le choix reste déterminé par les symptômes envisagés dans leur ensemble.

# La consultation homéopathique

## Préalable

S'il est bien vrai que la dilution homéopathique ne présente aucun danger pour le patient, prenons garde, toutefois, que de longs essais le privent des soins que l'urgence ou la gravité nécessitent. C'est pourquoi, on distinguera entre l'*automédication* étendue aux proches et le domaine qui reste de la compétence exclusive du médecin homéopathe. Dans cet esprit, nous avons choisi de réserver au néophyte les recommandations d'ordre radiesthésique, qu'il suffit au praticien d'adapter à son art.

## Cas du patient encore sous traitement allopathique

Il n'est pas toujours possible de faire prévaloir immédiatement le traitement homéopathique. Dans le cas d'un cardiaque sous anticoagulants et tonicardiaques, l'indispensable poursuite du traitement allopathique peut très bien s'accommoder d'un traitement homéopathique pour les reins, par exemple. De même, on ne coupera pas net l'accoutumance à des antidépressifs. De la poursuite simultanée des deux traitements, on soustraira progressivement l'allopathie, à raison des progrès de l'homéopathie. Devenu primordial, le travail homéopathique pourra néanmoins s'accommoder d'un calmant allopathique, de consommation épisodique ou exceptionnelle (hyperalgie, migraines, etc.).

Non spécifiques d'une maladie ou d'un agent infectieux, les médicaments homéopathiques, judicieusement choisis selon les cas, suppléent généralement aux *antibiotiques* : le microbe est neutralisé, non plus par ces derniers, mais par le système de défense de l'organisme. La prise momentanée d'antibiotiques suspend le traitement homéopathique. Mais *quid* d'une prise à longue durée, pendant un traitement de terrain ? Seul le médecin homéopathe en décidera.

## Le diagnostic clinique

L'homéopathe tente de l'établir au moyen d'un très long interrogatoire auquel le patient se soumet avec attention, en répondant spontanément et sans restriction. Ont toute leur importance, la circonstance déclenchante des symptômes, l'horaire, les modalités d'aggravation ou d'amélioration. S'il s'en trouve, on intègre les symptômes mentaux dans l'ensemble qui détermine la médication : la *psychothérapie*, thérapeutique par la verbalisation des troubles, s'en trouvera favorisée.

Si quelques questions, même par téléphone, font suite à une précédente consultation, elles auront trait à l'action des médicaments sur les symptômes. A ce sujet, il faut savoir que, si l'homéopathie donne rarement des résultats immédiats dans les maladies chroniques — encore qu'elle permette de guérir en quelques années des maladies censées durer toute la vie —, elle agit spectaculairement dans les cas aigus et récents.

## Le diagnostic thérapeutique

Indépendamment de l'examen physique, particulièrement attentif aux aspects périphériques (peau, ongles, langue), des examens de laboratoire et des radiographies, le médecin homéopathe recherche les signes particuliers qui appartiennent au mode réactionnel de **tel** malade à **sa** maladie. Il établit la prescription en cherchant les similitudes dans la *Matière médicale*[1], qui

1. Dr. Alain Horvilleur, *Matière médicale homéopathique pour la pratique quotidienne*, Ed. Camugli, Lyon.

comporte autant de *pathogénésies* qu'il y a d'études de médicaments.

Une pathogénésie regroupe trois sortes de symptômes :
— ceux recueillis après expérimentation sur l'homme sain, de la substance considérée : administrée en dilution, elle fera disparaître les symptômes similaires, observés chez le malade ;
— ceux recueillis lors des intoxications volontaires ou accidentelles ;
— ceux observés par les médecins homéopathes et ayant été guéris par la prescription d'un médicament non expérimenté.

Sachez enfin que si *pluralistes* et *unicistes* entendent couvrir un maximum de champ pathologique, les derniers ne prescrivent qu'un seul médicament à la fois. Cette conception qui privilégie le traitement de fond, demande assurément une telle faculté de synthèse que l'expérience seule y pourvoit.

## L'analyse radiesthésique

Débutant, vous vous munissez d'un *dictionnaire des maladies les plus courantes*[1], pour le traitement desquelles divers médicaments sont proposés. Ne considérez, au départ, que des troubles assez communs pour vous désigner le mal, plutôt bénin par ailleurs.

Votre « rhume de cerveau » étant « installé », on propose un **seul** remède, selon le cas : ALLIUM CEPA, HYDRASTIS CANADENSIS, KALIUM BICHROMICUM, MERCURIUS SOLUBILIS, NUX VOMICA, PULSATILLA ou SAMBUCUS NIGRA. Ou encore, si récidive, NATRUM

1. Dr. Alain HORVILLEUR, *Le Guide familial de l'Homéopathie*, Hachette, qui a largement inspiré notre exposé, ou de R. BOURGARIT, *Le Dico-guide de l'Homéopathie*, Guide Marabout (n° 30).

MURIATICUM, en attendant un traitement de terrain.

Comme il arrive souvent, faute de préciser des symptômes voisins ou alternants, on a l'embarras du choix : c'est ici que la radiesthésie intervient.

## Choix du médicament

**1°** Si les médicaments en question se trouvent dans votre pharmacie familiale, alignez-les devant vous afin que votre main libre s'en empare un à un. Sinon, vous en faites autant avec leurs noms-témoins.

— Expression du désir : « Je désire me rendre sensible au seul médicament qui convient à mon rhume de cerveau. »

— Question : « X, est-il le bon médicament ? »

Le pendule oscillant ne tournera positivement qu'à l'énoncé du seul qui s'impose.

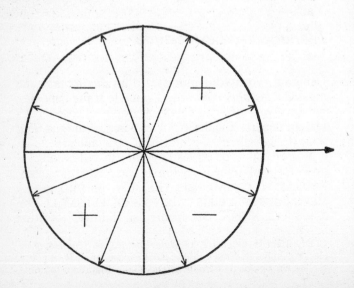

## 2° Confirmation par la méthode du rapporteur

L'identité des oscillations qui s'inscrivent dans le premier et le troisième, dans le deuxième et le quatrième cadrans, incite à ne se servir que d'une moitié de disque, appelée « rapporteur ». Comme seules nous intéressent ici les manifestations positives, d'autre part, on ne graduera que le premier cadran.

— Votre main libre posée en A vous personnifie comme tout objet-témoin, son propriétaire.

— Les médicaments ou leurs noms-témoins sont déposés à tour de rôle, en B.

— Le médicament choisi sera celui pour lequel les oscillations, initialement lancées sur OX, approcheront le plus de OB.

— Mêmes expressions du désir et interrogations.

On peut convenir, ensuite, de juger de la rapidité d'action et de l'efficacité du médicament choisi, selon la nature des oscillations qu'il engendre. Si celles-ci se dirigent vers B, très rapidement et très fortement, l'action du remède sera rapide et efficace. Le maintien d'une faible amplitude signifie peu d'efficacité, cependant que l'accélération des oscillations et l'augmentation de leur amplitude désignent un très bon remède, d'action profonde mais différée.

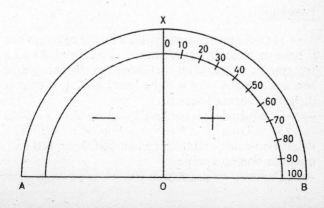

Maintenant comme tantôt, on évitera de se laisser suggestionner, en ne retournant au dictionnaire ou à la « matière médicale » qu'a posteriori, afin de vérifier et de confronter les résultats.

Pour la suite des opérations, vous conservez la main libre en A, le médicament ou son nom-témoin en B, et vous relancez chaque fois le pendule sur OX.

## Choix de la dilution

— Expression du désir : « Je désire me rendre sensible à la bonne dilution du médicament approprié à mon rhume de cerveau. »
— Questions : « S'agit-il d'une dilution décimale ? » NON, si le pendule oscille vers A. Malgré qu'il doive s'agir alors d'une dilution centésimale, vérifiez. Recommencez en cas de contradiction.
— Le pendule relancé sur OX, on énonce les principales dilutions, centésimales en l'occurrence : « S'agit-il de la 3 CH ? » « De la 5 CH ? » Admettons que les oscillations se dirigent vers les divisions 30, puis 50, et qu'à l'évocation de la « 9 CH », elles atteignent aussitôt le point B.

## Posologie

— « Je désire me rendre sensible à l'unité de temps que la prise du médicament X exige. » — « Le mois ? » « La semaine ? » NON, si les oscillations persistent chaque fois à aller de X vers A. « Le jour ? » OUI, si elles se dirigent désormais vers B.
— « Combien de fois par jour ? » « Une fois ? » « Deux fois ? » « Trois fois ? » — « Matin ? » « Midi ? » « Soir ? » Seule l'oscillation allant de OX sur OB indiquera la bonne réponse.
— « Combien de granules à chaque prise de médica-

ment ? » En comptant « 1 », « 2 »..., les oscillations se dirigent vers OB qu'elles atteignent déjà à ... « 3 ».

### Durée du traitement

« Je désire me rendre sensible à la durée du traitement. » « Une semaine ? » « Deux semaines ? » « Trois ? » « Quatre ? » Attendre chaque fois l'oscillation sur OB.

## Compléments

### L'homéopathie vétérinaire

Les mêmes médicaments que ceux employés en homéopathie humaine s'adressent tant aux gros qu'aux petits animaux. Faute de pouvoir individualiser les cas pathologiques — puisque l'animal ne décrit pas ses sensations et se soumet malaisément à une observation constante, — on prescrit souvent des formules complexes. On remarquera cependant que là où la médecine perd en précision, la radiesthésie gagne en calme et en neutralité.

### Acupuncture et homéopathie[1]

Toutes deux médecines naturelles, non toxiques, elles stimulent le système de défense de l'organisme, l'une par les aiguilles, l'autre par le médicament choisi selon la loi de similitude. Comme l'acupuncture a souvent

---

1. Lire Dr. G. GRIGORIEFF, *Soignez-vous à la chinoise*, Marabout Service n° 768 et Dr. A. HORVILLEUR, *101 conseils pour vous soigner par l'Homéopathie*, Hachette et Livre de Poche.

des effets plus immédiats que l'homéopathie, il peut être intéressant de les pratiquer simultanément.

## Ostéopathie et homéopathie[1]

L'ostéopathie se fonde sur les différents types de constitution du squelette que de grandes maladies endémiques auraient transformé peu à peu. A côté de la constitution originelle, de type carbonique, existeraient celles de type phosphorique et de type fluorique, engendrées, l'une par la tuberculose, l'autre par la syphilis.

D'autre part, suivant des liaisons qui ne correspondent guère aux réalités neurophysiologiques, les pathologies organiques seraient dues à la luxation des vertèbres correspondantes, de même que les symptômes à leur subluxation.

On se munira d'un schéma assez détaillé de la colonne vertébrale et des tableaux de correspondance entre celle-ci et les différents systèmes (circulatoire, respiratoire, nerveux, endocrinien, etc.).

En utilisant la *méthode du rapporteur*, main ou objet-témoin en A et schéma vertébral en B, on établit le type de constitution osseuse et son degré de prédominance. On envisage aussi l'équilibre minéral du squelette par rapport à l'ensemble des tissus (oligoéléments).

Le pendule promené sur le schéma vertébral nous désigne une ou plusieurs luxations qui sont à l'origine de la maladie et que la **manipulation vertébrale** ou la **chiropraxie** suffiront peut-être à réduire. Interrogation radiesthésique.

On peut alors convenir que, le pendule tenu audessus du schéma osseux, ses girations positives révéleront un bon état ; ses girations négatives, un état grave ;

---

1. Voir R.P. JURION, *Radiesthésie médicale*, éd. d'auteur, 1970.

des oscillations, un état déficient. Dans ce dernier cas, par exemple, on cherche à savoir si le remède sera de constitution, de diathèse ou de terrain.

Pendant que les oscillations, au-dessus du schéma osseux, continuent à traduire l'état de déficience, on demande si le remède actif pour le système osseux est de constitution. OUI, en cas de girations positives. Mentalement ou à l'aide de témoins, on passe alors les différents remèdes de constitution en revue. Le fait, pour les oscillations, de se transformer en girations positives à l'énoncé de l'un, désigne celui-ci, à l'exclusion des autres. On a déjà rejoint la médication homéopathique, du choix de laquelle on s'assure par la méthode du rapporteur...

## La phytothérapie

Thérapeutique par les plantes, la phytothérapie ne se confond nullement avec l'homéopathie qui utilise également des produits animaux et minéraux. En outre, elle ne s'inspire pas des grands principes de l'homéopathie :
— application des contraires plutôt que de la loi de similitude ;
— usage de doses pondérables plutôt que de l'infinitésimal.

Se procurer une liste des plantes médicinales avec leurs propriétés[1].

### Méthode du rapporteur

Soucieux d'unité opératoire, nous préconisons encore la *méthode du rapporteur*, tant pour le choix du remède que pour son dosage, la posologie et la durée de traite-

1. Dans R. MOATTI et G. DELUCHEY, *Guide Marabout des Plantes-médicaments* (Marabout Service n° 676).

ment. Après quoi, nous retournerons à la description des propriétés et à l'usage, pour vérification. Au cas où plusieurs remèdes auraient été sélectionnés en raison d'affections diverses, on veillera à la compatibilité de prise simultanée, qu'affirmeront les oscillations vers B où ils auront été regroupés.

## Méthode de syntonisation

Relevons, au passage, la *méthode de syntonisation*[1], selon nous plus hasardeuse parce que moins systématique.

### Choix du remède : deux possibilités

**1.** Le pendule est tenu au-dessus de la main du malade ou de son témoin, pendant que la main libre s'empare d'un seul remède-témoin à la fois.
— Ayant convenu que le pendule réagirait aux remèdes qui ne conviennent pas, écarter leur témoin.
— Disposer ceux qui restent, sur la table, et convenir que le pendule oscillera en direction du meilleur.
**2.** Faire tourner le pendule entre la main du malade, ou son témoin, et le remède-témoin.
— Convenir que, si les girations se transforment en oscillations allant de l'une vers l'autre, le remède convient. Plus nette est la transformation, meilleur est-il.

### Dosage

— Pendant que le remède-témoin se trouve dans la main libre, le pendule est tenu au-dessus de la main du malade ou de son témoin.

1. Préconisée dans J. CHARBONNEL et GAU, *Notions générales et pratiques de radiesthésie*, Ed. de la Maison de la Radiesthésie, Paris.

— On lance le pendule en oscillations.

— Les girations survenues confirmant le choix du médicament, leur nombre correspond à celui des unités de mesure, qu'il faut prendre.

## Compatibilité de prise simultanée

— Regrouper les témoins des remèdes qui auraient été syntonisés.

— Si le pendule oscille dans leur direction et dans celle de la main du malade ou de son témoin, la prise peut être simultanée.

# CINQUIÈME PARTIE

# Radiesthésie écologique

Beaucoup de circonspection devant entourer la pratique de la radiesthésie médicale, nous avons choisi une médecine naturelle qui en libère largement. Rien n'entrave, cette fois, l'aspiration légitime à une hygiène de vie correcte, que les contraintes de la civilisation ou l'état naturel des choses peuvent altérer.

Parce que nous avons désappris à user des facultés de discrimination qu'offrent les organes des sens, nous décidons notamment que la radiesthésie seconde le goût et l'odorat dans l'appréciation des aliments, la vue dans la perception adéquate, voire curative, des couleurs et des formes.

Un aspect particulier de la radiesthésie, la radiesthologie, nous aidera, enfin, à situer les lieux de vie par rapport au cosmo-tellurisme et à la géobiologie.

# CHAPITRE I

# L'alimentation

Une longue accoutumance et l'industrie alimentaire ont perverti les sens complémentaires du goût et de l'odorat. Associées au nerf olfactif, les papilles gustatives qui reconnaissent, à la base de la langue, les saveurs amères, sur la pointe et les bords, les saveurs acides, salées et sucrées, ne suffisent plus, désormais, à la sélection des aliments. Carence à laquelle l'*analyse radiesthésique* supplée. Reprenons celle de l'eau, applicable à toute autre substance, solide, liquide ou gazeuse.

## *Eau potable ou polluée ?*

### Exercice sans témoins

— Versez un peu de l'eau à analyser dans un récipient fort propre.
— Expression du désir : « Je désire me rendre sensible au rayonnement de l'eau contenue dans ce récipient. »
— Immergez le pendule, ensuite mis en oscillations.
— Convention : « Si,   après   quelques   instants

d'attente, mon pendule oscille toujours, l'eau est impropre à la consommation ; s'il se met en girations, elle est potable. »
— Répétez la question : « L'eau contenue dans ce récipient est-elle potable ? »

## Exercice avec témoins

Un flacon d'eau reconnue potable, un autre flacon d'eau artificiellement polluée, constituent les témoins « eau potable » et « eau polluée ».

**Le flacon contenant l'eau à analyser est mis en présence du témoin « eau potable ».**
— « Je désire me rendre sensible au rayonnement de l'eau potable, contenue dans ce flacon » : mis au-dessus du témoin « eau potable », le pendule oscillant se met aussitôt en girations positives.
— Portez le pendule remis en oscillations, au-dessus de l'eau à analyser.
— « Je désire me rendre sensible au rayonnement de l'eau à analyser. »
— Convention : « Si mon pendule rentre en girations positives, l'eau est potable. »
— Répétez pendant quelques minutes : « Cette eau est-elle potable ? »

**Contre-épreuve : le flacon contenant l'eau à analyser est mis, cette fois, en présence du témoin « eau polluée ».**
— « Je désire me rendre sensible au rayonnement de l'eau polluée, contenue dans ce flacon » : les oscillations se maintiennent au-dessus du témoin « eau polluée ».
— Si elles persistent au-dessus de l'eau inconnue, celle-ci est impropre à la consommation ; elle est potable si des girations positives surviennent.

# *Analyse quantitative*

## Teneur d'une eau en calcaire

### Exercice sans témoin

— Mettez le pendule en oscillations, au-dessus d'un récipient qui contient de l'eau à analyser.
— « Je désire me rendre sensible au calcaire que cette eau contient *éventuellement*. »
**a.** « Cette eau contient-elle du calcaire ? » : la persistance des oscillations manifeste l'absence de calcaire ; les girations positives, sa présence.
**b.** « Combien cette eau contient-elle de calcaire par litre ? » « Un demi-gramme ? » « Un gramme ? » ... La survenance de girations positives désigne la proportion.

### Exercice avec un témoin

Le témoin est constitué par un morceau de craie ou le nom-témoin « calcaire », que l'on tient dans la main libre. Suivant le procédé exposé plus haut, on peut encore confronter notre eau au témoin « eau calcareuse », que représente un flacon d'eau additionnée de quelques extraits de craie.

## Autre exemple :
## teneur d'un vin ou d'un lait en eau

— Versez de votre vin ou de votre lait dans une éprouvette, jusqu'à une certaine hauteur de la graduation exprimée en cl ou en ml.
— Reversez-le dans son contenant d'origine.

— « Je désire me rendre sensible au rayonnement de l'eau contenue dans ce vin (lait), *s'il s'en trouve*, et en déterminer la quantité exacte. »

— Vous tenez le pendule en oscillations pendant qu'à l'aide d'un compte-gouttes, votre main libre laisse tomber de l'eau dans l'éprouvette redevenue vide.

— Les girations positives se produiront quand la proportion d'eau, par rapport au vin ou au lait versé, aura été atteinte.

**N.B.** On pourrait avoir convenu que les girations concernent la proportion d'eau qui aurait été *ajoutée* au vin ou au lait d'origine. Les oscillations persistant s'il n'en était rien, on cessera de faire tomber de l'eau dans l'éprouvette quand on aura atteint une quantité égale aux deux tiers de celle de vin ou de lait initialement versée.

### Méthodes comparatives à propos d'un vin suspect d'avoir été mouillé

**a.** Procurez-vous un échantillon de vin d'origine (bouteille cachetée, en provenance directe de la propriété).

— Versez-en une quantité déterminée dans l'éprouvette graduée.

— Disposez, à quelques décimètres, une autre éprouvette graduée, dans laquelle un aide verse de l'eau, au compte-gouttes : dès que la proportion d'eau contenue dans le vin d'origine est atteinte, des oscillations se créent, qui vont dans la direction de chaque éprouvette (convention du rayon d'union).

— L'opération étant répétée avec le vin suspect, on compare les deux quantités d'eau nécessaires au déclenchement des oscillations.

**b.** Placez une même quantité de vin d'origine et de vin suspect, à quelques décimètres de distance.

— Pendant que votre aide verse lentement l'eau d'un récipient gradué dans le vin d'origine, vous faites osciller le pendule, perpendiculairement au rayon fictif qui unit les deux vins : dès que la quantité d'eau ajoutée est atteinte, les oscillations s'orientent de l'un vers l'autre.

## Diététique

Les analyses qualitatives et quantitatives de divers produits de consommation, auxquelles le *séparateur de rayonnements*, la *convention du cadran et du rapporteur* procèdent également, ne suffisent évidemment pas à répondre aux besoins fondamentaux d'un individu, s'ils ne sont pratiqués qu'occasionnellement. L'équilibre entre protides, lipides, glucides, vitamines, sels minéraux, oligo-éléments et eau, assure la santé d'un organisme humain ou animal, cependant que les recommandations diététiques généralement admises demandent une adaptation individuelle.

Pour le service de la diététique, thérapeutique alimentaire, la radiesthésie décèlera donc, à un moment donné :

— le degré de carence de l'organisme, en ses divers composants ;

— l'appropriation à celui-ci, de tel ou tel aliment.

Il faut prendre garde, cependant, que nos goûts personnels nuisent à l'indispensable neutralité et que la connaissance de la nature d'un aliment ou d'un plat, de leurs effets par rapport à nos besoins, ne donne lieu à des opérations superflues et autosuggestives.

### Carences de l'organisme

Comme il s'agit d'envisager, non pas l'équilibre idéal, mais les carences **personnelles** en éléments constitutifs de l'organisme, on ne retiendra, du rapporteur, que la graduation de son cadran négatif.

Votre main libre ou un témoin de votre personne, la main de toute autre ou le témoin qui la représente (une photo, par exemple), est posée en A. Les noms-témoins des différents éléments organiques sont successivement posés en B. Les divisions atteintes donnant les pourcentages de carence, il va de soi que le maintien des oscillations sur OX et leur orientation à droite n'intéressent pas.

— Expression du désir, chaque fois renouvelée : « Je désire me rendre sensible à la carence *éventuelle* de mon organisme en vitamine B1 (ou en potassium, ou en iode, ...). »

— Question : « Y a-t-il carence de mon organisme en vitamine B1 et, si oui, quel est son taux ? »

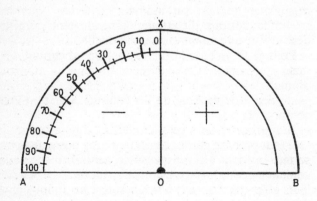

## Choix des aliments

Que vous recourriez plus immédiatement à des médicaments « compensateurs » ne doit pas vous faire négliger la fixation naturelle par les aliments. Retournant à votre ouvrage de référence[1], vous retiendrez donc la liste de ceux qui remédient à la carence.

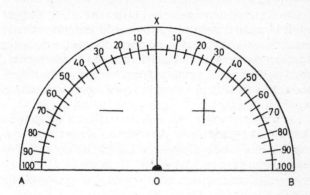

A présent, on place successivement les échantillons alimentaires ou leurs noms-témoins, en B.

Du fait que de nombreux autres éléments que celui dont on manque entrent dans leur composition, les aliments ne peuvent convenir tous, autant qu'ils sont proposés. Certains peuvent même revêtir un aspect globalement nocif, que des oscillations à gauche traduiront. Voilà qui oblige à sélectionner celui qui nous est spécifiquement le meilleur.

La même remarque valant pour les médicaments, il serait intéressant de les apprécier radiesthésiquement, en tenant compte de leurs effets secondaires sur notre personne; de relever, dans un complexe homéopathique, le produit et sa dilution qui correspondent le mieux à telle ou telle de nos affections.

— Expression du désir, chaque fois répétée: «Je désire me rendre sensible à l'aliment qui, *compte tenu*

1. Dr. E.G. Peeters, par exemple, *L'ABC de la diététique*, Guide Marabout nº 41 et *Le Guide de la diététique*, Marabout Service nº 166.

*de mon état général*, répond le mieux à ma carence en lipides. »

— Question : « Tel aliment me convient-il ? »

On pourrait convenir de l'efficacité d'un aliment selon la qualité des oscillations qu'il engendre aussi : impératives et maximales, au point d'entraîner la main à droite, les oscillations signifieront une action rapide ; timides, hésitantes, jusqu'à devenir amples et franches, une action lente et progressive ; éphémères, une action brève ; longtemps prolongées, une action durable.

Les valeurs qualitatives et quantitatives d'un aliment seront plus couramment situées par rapport à tel consommateur, sans évaluation préalable de ses déficiences constitutives ou passagères. Exemple : « Ce rôti de veau est-il bon pour mon enfant et dans quelle mesure ? »

**Dosage**

Pour préciser la quantité à ne pas dépasser pour que l'aliment conserve toute sa valeur énergétique et pour que, de bon, il ne devienne pas nocif à la personne en question, on s'inspirera du procédé utilisé pour la recherche de la dilution homéopathique. Exemple : « Combien de grammes par jour (par repas), de tel aliment favorable à mon enfant, convient-il de ne pas dépasser ? »

Enfin, on établira la **durée d'un régime** après avoir convenu de la correspondance de la graduation portée sur le cadran positif avec une unité de temps.

L'espace restreint, dans lequel s'inscrit le rapporteur, favorise l'apprentissage de la visualisation. On appréciera donc l'avantage pratique de la méthode par rapport à d'autres, plus fastidieuses et moins précises, dont voici un exemple.

L'aliment a été déposé sur le point 0 d'un mètre déplié ou déroulé, à la gauche duquel la personne intéressée se tient. La *qualité* de l'aliment étant directement proportionnelle au nombre de centimètres, vous convenez de la neutralité à cinquante, de la nocivité en-deçà et de la bienfaisance au-delà. Le pendule parcourt le mètre jusqu'à ce que ses oscillations entretenues se transforment en girations positives, à moins que celles-ci ne se produisent quand le stylet en antenne atteindra la cote.

On conviendra également d'une *dose* trop faible, en-deçà de telle mesure ; trop forte, au-delà de telle autre.

# CHAPITRE II

## Les couleurs

Aux vibrations de la lumière qui, alertant la rétine, donnent les sensations de couleurs, on en ajoute de colorées, non perceptibles à l'œil nu mais influençant nos organes, et même celles de l'éther lumineux, censées agir sur nos glandes.

Les ondes lumineuses agissent puissamment sur le cerveau par l'intermédiaire du nerf optique, au point que leur déséquilibre affecte la respiration, en ralentissant l'élimination de l'acide carbonique, diminue le nombre de globules rouges et la teneur du plasma en calcium et en phosphore, empêche la fixation du calcium et du phosphore sur le squelette. Excès et manque de lumière, de telle ou telle de ses composantes, engendrent des carences minérales et des avitaminoses, par modification des charges électro-magnétiques des micelles : l'exemple du rachitisme chez l'enfant est bien connu.

L'expérience a fait admettre, d'autre part, que, seules ou associées, certaines couleurs s'opposent à l'amélioration de l'état *général* tandis que d'autres le favorisent. Réputé combattre les refroidissements du corps et tonifier le système nerveux, le rouge n'est-il pas déconseillé, a contrario, aux hypertendus, aux colériques et aux hystériques qu'en raison de ses propriétés, le bleu calmera ? Une chambre, déjà, nous paraît plus petite et fatigante, ou plus grande et reposante, suivant qu'elle est décorée en jaune, en orange, en rouge, ou en vert, en bleu, en violet. La couleur de nos vêtements, elle-même, affecterait notre santé et nos émotions.

De là, à reconnaître un pouvoir thérapeutique aux couleurs, à envisager une **chromothérapie**[1], il n'y a qu'un pas, franchi depuis longtemps. La médecine indienne, par exemple, utilise traditionnellement les couleurs du prisme, dans le cas de troubles déterminés et selon des conceptions particulières[2].

La radiesthésie aide à distinguer, dans toute la gamme des couleurs, celles qui, compte tenu des différences individuelles, de l'âge, de l'état de santé général ou passager, du moment de la journée, s'approprient le mieux ou ne se recommandent pas. Vous en tiendrez compte dans la décoration de votre intérieur et dans le choix de vos vêtements.

→ Entre des morceaux d'étoffe ou des cartons colorés, ou les noms de couleurs comme témoins successifs, et votre pendule, vous placez votre main ou celle de toute autre personne. On considérera que des girations de même sens, au-dessus de la main et du témoin, désignent une couleur bénéfique ; néfaste, si elles sont de sens contraires ; indifférente, en cas d'oscillations. Vous pouvez tout aussi bien convenir d'opérer sur un mètre, selon le même type de convention que celle prise à propos d'aliments.

1. L'*Iridologie* qui détecte l'état des organes par l'examen des filaments de l'iris correspondants, procède d'une démarche comparable.
2. Gérard EDDE, *Les Couleurs pour votre santé*, Ed. Dangles.

| Bref tableau récapitulatif | |
| --- | --- |
| ROUGE | Faiblesses cardiaque et circulatoire ; problèmes de l'ossification |
| ORANGE | Manque de vitalité, fatigue, anémie ; diarrhée, ulcères, œdèmes, diabète ; neurasthénie |
| JAUNE | Désordres du sang ; fièvre ; inflammations du foie et de la vessie |
| VERT | Troubles mentaux et émotionnels graves ; troubles de la vue |
| BLEU | Refroidissements, problèmes respiratoires et émotionnels |
| INDIGO | Troubles endocriniens et de la lymphe ; vieillissement prématuré |
| VIOLET | Désordres nerveux ; inflammation et affection cutanée ; rhumatisme ; constipation |

Mais, pour les mêmes raisons pratiques, nous préférons recourir à la *méthode du rapporteur*, à présent bien connue : choix des couleurs, de leurs nuances et des tons de pastel ; mesure de leur assortiment ; proportions de mélanges.

Vous décidez, par exemple, de renouveler la décoration murale de votre chambre à coucher : compte tenu de vos dispositions physiques et morales, le bleu outremer et le jaune or se recommandent par des oscillations tendant au mieux vers l'axe OB ; leur parfaite complémentarité s'affirme identiquement, cependant qu'on mesure une nette prédominance du bleu.

## Application médicale

Vous convenez de représenter les systèmes ou les organes par différents cartons de couleur. Entre la paume de la main et votre pendule de cristal, préalablement imprégné de celle-ci, vous interposez successivement les différents témoins. Conventionnellement, les girations positives manifesteront le bon état de l'organe correspondant ; des girations négatives, sa déficience.

# CHAPITRE III

## Les ondes de forme

Tant la matière ou la forme de certains objets que les couleurs revêtent, d'une manière générale ou spécifique, un aspect agréable ou bienfaisant, désagréable ou néfaste.

— « Je souhaite me rendre sensible au rayonnement de tel objet. »

— « Les ondes émises par cet objet *me* sont-elles nocives ? » Si des girations positives l'affirment, on procède à la contre-épreuve : « Les ondes émises par cet objet *me* sont-elles bénéfiques ? » Nous avons également convenu que le maintien des oscillations attesterait l'indifférence.

— « Cette nocivité (cette bienfaisance) tient-elle à la matière de l'objet ? » Contre-épreuve : « A sa forme ? »

Utilisons la convention du rapporteur pour évaluer le degré de nocivité ou de bienfaisance : « Je désire me rendre sensible au degré de nocivité (de bienfaisance) émis par la matière (la forme) de cet objet. » A défaut de la présence de celui pour qui on opère, nous plaçons son témoin en A, l'objet ayant été déposé en B.

En parlant d'*analogie* à propos de la para-homéopathie, nous évoquions un système d'approche universelle, de vraisemblance scientifique encore fort lointaine, dont l'ésotérisme s'occupe plus particulièrement. Nous avions noté, par ailleurs, que l'énergie vibratoire émanée des formes, les **ondes de forme**, aidait également à la différenciation des objets. De là est née l'idée fort ancienne, selon laquelle des formes *ressemblantes* devant engendrer semblables effets et inversement, on pouvait en créer d'autres qui les confirment ou, comme les pentacles, les neutralisent. Le *dessin radiesthésique*, où entre aussi la télépathie quand il concerne du vivant, et les *pyramides* se veulent répondre à la préoccupation.

## Dessins neutralisateurs

Un objet ayant été reconnu nocif, on part de l'angle supérieur gauche d'une feuille, d'où on laisse glisser horizontalement le crayon tenu par la main libre. On recommence en suivant la parallèle, deux millimètres plus bas, et ainsi de suite jusqu'en bas de la feuille. Revenu à l'angle supérieur gauche, on procède dans le sens vertical, cette fois. La convention veut qu'à chaque réaction pendulaire, la pointe du crayon soit abaissée de manière à former un point. Il suffira de les joindre tous pour obtenir le dessin à placer sur l'objet.

La multitude des choix offerte oblige cependant à les vérifier systématiquement. Pendant que le crayon en antenne parcourt, sans la tracer encore, une liaison possible, on demande si elle a lieu d'être : il y est répondu par des girations, ou positives ou négatives. Vérifier au pendule si la nocivité de l'objet a disparu.

On entend par **envoûtement** une action télépathique, d'amour ou de haine, sur une personne déterminée ou par l'intermédiaire d'un objet envisagé comme un accumulateur de forces le plus souvent maléfiques.

Il appartient au radiesthésiste de mettre l'envoûtement en évidence et de le conjurer, en recherchant les couleurs appropriées au sujet ou en lui proposant des dessins neutralisateurs. Ce procédé de détection et d'amplification du contenu de l'inconscient rappelle curieusement les tests de projection au cours desquels on croit reconnaître ce qu'on extirpe en fait du profond de soi-même.

## Dessins reconstitutifs

Le même procédé permet de reconstituer un tableau ancien ou de tracer le portrait d'un inconnu. Un morceau de papier qui a été frotté légèrement sur l'œuvre ou un objet ayant appartenu à la personne serviront de témoins. A noter que le scripto-pendule libère de la reproduction fastidieuse des traits à partir d'un pointillé. Parce qu'il arrive souvent que certains peintres ont travaillé par-dessus l'œuvre originelle, il y a risque de ne pas la reconstituer : c'est pourquoi M. MOINE préconise un contrôle par un laboratoire spécialisé[1].

On pourrait enfin reproduire une image conçue par une autre personne, qui la projette mentalement sur la feuille dont on va se servir et qu'elle tient contre sa tempe, pendant quelques minutes.

## Dessins téléinfluents

Le principe de Jean Martial consiste à tracer, à l'intention d'une personne déterminée, un dessin radiesthésique dont l'analogie formelle avec un de ses organes physiques influencera favorablement ce dernier.

— A droite, vous disposez une grande photo en pied de la personne concernée ; à gauche, une feuille de papier blanc, très lisse et nettement plus petite que la photo. Inversement, si vous êtes gaucher.

— Formulation de la convention mentale : « Je présume qu'il existe sur la feuille de papier blanc, un dessin invisible, favorable à la personne que la photo représente. Des girations positives me préviendront chaque fois que mon crayon coupera une ligne de ce dessin. »

— Pendant que le pendule oscille légèrement au-dessus de la photo, votre main libre promène, *fort lentement et en tous sens*, la pointe du crayon dressé, un à deux millimètres au-dessus de la feuille. Ne regarder que le pendule évite l'autosuggestion.

1. *Op. cit.*, Stock.

— *Aussitôt* qu'une giration se déclenche, vous abaissez le crayon pour marquer un point.

— Vous constaterez avec surprise que les points relevés en très grand nombre se disposent, non par hasard, mais les uns à la suite des autres, suivant des lignes droites et des courbes.

— Vous continuez à marquer tellement de points que leur espacement s'amenuise. Un trait continu, à l'encre de Chine, donnera au dessin la forme définitive, que des pointillés avaient ébauchée.

— Avec un compas à tire-ligne et de l'encre de Chine, vous entourez le dessin de deux ou trois cercles concentriques.

## Contrôle de la validité du dessin

— Posez le dessin à droite, la photo à gauche. Inversement, si vous êtes gaucher.

— L'index de la main libre pointé en antenne sur la photo, vous présentez le pendule au-dessus du dessin.

— Formulation de la convention : « Je désire que mon pendule tourne positivement si le dessin est susceptible d'agir favorablement sur la personne photographiée. »

## Positionnement

— Déplacez le dessin, maintenu un à deux centimètres au-dessus de la photo, jusqu'à ce qu'une giration indique l'*endroit* où il doit être déposé.

— Vous le faites pivoter sur son centre jusqu'à ce qu'une giration arrête son **orientation.**

— D'avoir tracé trois points de repère qui fassent coïncider les bords de la photo et du dessin, vous pourrez vous assurer que ce dernier n'a pas été déplacé fortuitement.

— L'unité de comptage préalablement établie, déterminez la durée de la mise en batterie. Vous vous assurerez occasionnellement de l'opportunité de la poursuivre ou de l'interrompre, en présentant le pendule au-dessus de l'ensemble. Pour parfaire le résultat, vous vous interrogerez aussi sur la nécessité de poursuivre avec un nouveau dessin, avec un troisième, éventuellement.

## Les pyramides

On appelle « ondes de forme », des manifestations liées à des formes que rendent lignes, reliefs et proportions. Dans la totale ignorance où nous sommes encore de pouvoir expliquer le mode opérationnel, la prudence commanderait de parler simplement d'« émissions dues aux formes » ou d'« effets », plutôt que d'« ondes ». Chinois et Egyptiens de l'âge néolithique n'en savaient évidemment pas davantage, mais ils avaient appris à ressentir les effets bienfaisants ou nocifs du phénomène.

C'est l'observation, par Bovis, d'étrangetés dans la pyramide de Khéops qui a permis de le redécouvrir. L'afflux de chercheurs, dans les années trente, maintenait aux pieds un campement. Les dépôts de détritus ne manquèrent pas d'attirer rats, souris, chats ensuite, fort nombreux à s'aventurer dans les galeries de l'édifice. Souvent, ils y mouraient de faim, n'ayant pu retrouver la sortie. Mais surtout, alors que les cadavres pourrissaient à la faveur de l'humidité ambiante, ceux qui se trouvaient dans la chambre royale se desséchaient. Bovis eut l'intuition de rechercher la cause dans la forme du monument. Il construisit un modèle réduit de la pyramide. En ayant également orienté les quatre côtés selon les points cardinaux, il plaça un morceau de viande à l'endroit correspondant à la chambre mortuaire, soit au tiers de la hauteur qui s'élève de la base au sommet. Alors que, posé à côté de la pyramide, un même morceau de viande subissait le processus normal de décomposition, le premier se momifiait.

## Dessiccation

Afin que le spécimen animal ou végétal se trouve aussi à l'endroit voulu, vous le posez sur une plate-forme ad hoc, la longueur orientée dans le sens nord-sud. De la taille et de la teneur en eau, dépend le temps nécessaire à la dessiccation pendant lequel il peut être procédé à une inspection périodique, mais à la condition de ne pas endommager l'objet de l'expérimentation et de le remettre chaque fois dans sa position initiale.

La teneur en eau de la fibre détermine aussi l'ampleur du rapetissement. A noter que, si la jonquille peut se faner et se déformer à l'extrême, en revanche, la déshydratation n'altère pas l'aspect des roses.

### Moyens de contrôle

• **Moyens physiques : la pesée**

— Pesez le spécimen avant de le placer à l'intérieur de la pyramide et tous les jours suivants, afin de déterminer l'évolution du taux de déshydratation.
— Procurez-vous d'autres contenants, de formes et de fabrications diverses. Chacun d'eux, de volume égal à

celui de la pyramide, va recueillir un spécimen identique au premier, que l'on pèsera en même temps.
— Mêmes modalités de pesage avec un autre spécimen, tout aussi identique, qui aura été posé à l'air libre, sur une surface plane.
— Dès le début de l'expérience, consignez toutes informations pertinentes, telles que matière, dimensions, forme et volume des contenants ; dimensions et âge des spécimens qu'en plus du poids, les signes de décoloration, de fermeté et de décomposition singulariseront dans le cours de l'expérience.
— A présent, comparez les processus de momification qui s'opèrent à différents niveaux de la pyramide. Pyramides et spécimens étant identiques, vous placez l'un de ceux-ci à l'intérieur de chacune de celles-là, mais en différents points de la hauteur : à la base, au cinquième, au quart, au tiers, à la moitié, etc.

### • Moyens radiesthésiques

Le contrôle radiesthésique se déroulera dans les mêmes conditions, mais *préalablement* à la pesée, pour éviter le piège permanent de l'autosuggestion.

Vous situez les états de déshydratation dans le cadran positif du rapporteur, ceux de décomposition dans le cadran négatif. Selon qu'il s'agit des uns ou des autres, les spécimens ont été successivement déposés en B ou en A.

Les données chiffrées vont pouvoir alimenter des graphiques (voir page suivante) qui traduisent, pour tel spécimen, l'évolution comparative et sous condition, de ses différents processus de dessiccation et de putréfaction.

Prenons l'exemple de rognons de veau supposés identiques, dont l'un a été mis à l'intérieur de la pyramide (niveau 1/4) et l'autre à l'air libre.

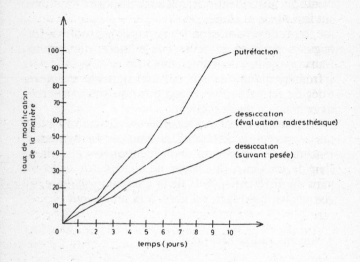

## Conservation

Prenez soin de vous servir de **denrées alimentaires** qui soient naturelles, car les agents chimiques de conservation et de forçage, susceptibles de modifier le degré de déshydratation, risqueraient d'invalider votre expérience.

→ Vous versez une même quantité de **lait** dans deux récipients non métalliques, petits et peu profonds, dont l'un est placé à l'intérieur de la pyramide et l'autre à l'extérieur. Si, dans chaque cas, quelques jours suffisent à aigrir le lait, celui qui a été laissé dans la pyramide ne se caille pas.

### → **Comment obtenir du fromage blanc**

Installez un verre de lait frais, non pasteurisé, sous le sommet de la pyramide dont un côté est parfaitement orienté au nord. Des inspections périodiques montreront le caillement et la formation d'une croûte à la surface, qu'on ne dérangera pas tant que le processus de coagulation, d'une durée de trois à quatre semaines, n'aura pas abouti. Lorsque le lait aura pris l'apparence du fromage blanc, vous en enlèverez la croûte avant de le déguster... Vos observations auront-elle confirmé vos constats radiesthésiques ?

Il semble d'ailleurs que la forme pyramidale des cartons de lait et de yaourt, en France et en Italie notamment, des petits pots de crème entassés, sans réfrigération, sous les comptoirs des snack-bars, aux Etats-Unis, constitue un mode de conservation efficace. Parce que les entrepôts de cette même forme entretiennent la fraîcheur — en même temps qu'ils préservent des microbes et des insectes —, toutes denrées qui y auront été stockées seront plus savoureuses, bière, vin et whisky plus vite mûris, café et tabac adoucis.

## Croissance et vitalité

On perçoit les avantages que l'**horticulture** s'efforce déjà de retirer de constats tels que ceux-ci.

Les graines exposées à l'intérieur de la pyramide, qui y germent particulièrement vite, sont appelées à produire des plantes hâtives, beaucoup plus vigoureuses et plus saines que d'ordinaire.

→ Achetez un paquet de graines. Avec la moitié du contenu, vous formez des alignements de sens nord-sud, à l'intérieur de la pyramide. Après deux semaines, vous en enlevez les graines, à planter en même temps et dans les mêmes conditions que celles restées dans le paquet... Vous constaterez une différence tout à fait probante.

→ Cette fois, de l'eau ordinaire est mise à l'intérieur de la pyramide, pendant une semaine environ, avant de servir à arroser vos plantes d'intérieur. Que cette eau active davantage la germination et la croissance, améliore la vitalité, suppose une modification tout aussi indécelable à l'analyse chimique que la dilution homéopathique.

Encore ? La pyramide enracine les boutures plus assurément et plus vite. Vérifiez-le en en laissant baigner une à l'intérieur. Sitôt retirée, vous la planterez et l'arroserez avec de l'eau qui aura été également traitée. Etc., etc.

Excepté le fait de soumettre ou non la matière à l'action de la pyramide, l'identité de traitement garantira le contrôle de l'expérience. Dès lors, on pourra comparer les vitesses de croissance et de dépérissement, les pourcentages d'augmentation et de perte, confrontés, chacun pour leur part, aux résultats radiesthésiques, *préalablement* établis.

## Restauration

Déduisant que le séjour dans une pyramide soulage de certains maux et augmente l'énergie vitale, on en a conçues à échelle humaine : y dormir, même moins longtemps que d'ordinaire, repose davantage et augmente les rêves ; y méditer rassérène ; et boire de l'eau qui y a été traitée contribue encore à bonifier la virilité, à améliorer l'état général.

Moins subjectivement, assurons-nous, par exemple, que les pyramides maintiennent, prolongent et restaurent le tranchant des lames.

Si vous reproduisez la grande pyramide à l'échelle la plus couramment employée, la hauteur, mille fois plus petite, sera de quinze centimètres, soit plus ou moins les deux tiers des côtés de la base et des triangles[1].

⟶ Disposez une lame de rasoir toute neuve, au tiers de la hauteur, sur un socle de bois, de telle sorte que, ses tranchants opposés l'un à l'est et l'autre à l'ouest, elle épouse parfaitement l'orientation nord-sud. Vous pourrez vous en servir après un conditionnement de sept jours au moins, en n'omettant pas de la recoucher de la même manière, après chacun de vos deux cent cinquante rasages environ, pour lesquels sa qualité initiale aura été maintenue.

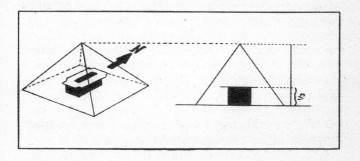

⟶ Cette fois, déposez une lame fortement émoussée. Une semaine suffit à l'affûtage dont attestent l'usage et l'observation au microscope. Mais mieux qu'une pierre à aiguiser qui redonne un fil à la lame en lui arrachant des parcelles de métal, la pyramide la remet à neuf en réorganisant ses atomes. On suppose que les tensions que recèle l'acier trempé, comprimées comme un ressort, ont été suffisamment libérées par la forme pyramidale pour que le tranchant initial soit restitué.

1. Entre autres expériences exposées dans Toth, M. ad Nielsen, G., *Pyramid Power*, Rochester, Vermont : Destiny Books, 1985.

Au moyen de quel **type d'émission**, la forme influe-t-elle ? Energie ? Particules ? On ne le sait. Quelle **notion** recouvre-t-elle ? Globalement, il s'agit d'une représentation soucieuse de certaines proportions, qui s'applique tant à des volumes (pyramides, sphères, cônes, statues de l'île de Pâques, ensembles mégalithiques de Stonehenge et de Carnac, chœur et labyrinthe de cathédrales moyenâgeuses, l'arche d'alliance...) qu'à des dessins (hiéroglyphes, alphabet hébraïque, pentacles, le Yin-Yang chinois...). En ce qui concerne la pyramide, sa forme, ses proportions, ses arêtes et le fait qu'elle soit creuse importent seuls, à l'exclusion du volume, des parois et de la matière.

Il est troublant de constater que la *loi des semblables* ou *action par modèle* s'exerce également en parahoméopathie, en téléradiesthésie où plans, croquis, planches, photos, représentation intellectuelle, doivent avoir les mêmes proportions que ce qui est représenté, la même orientation par rapport au nord et un nombre suffisant d'angles et de détails.

Il reste à mentionner l'**expérience de Benest** qui a installé un ioniseur au « point d'énergie » de la pyramide, ainsi appelé parce que les forces s'y concentrent, au tiers de la hauteur. Le dispositif associant deux types d'émission, l'une électrique et l'autre de forme, ses succès ont contribué à l'essor d'une démarche radiesthésique particulière, la **radionique**[1].

Exemple d'effets :
— amélioration de la perméabilité bronchique ;
— amélioration de la désensibilisation allergique ;
— effet broncho-dilatant ;
— régularisation de la tension artérielle ;
— amélioration du métabolisme énergétique ;

---

1. A propos de la résonance des micro-ondes au sein de la pyramide et des applications électroniques, voir encore *Pyramid Power*, Science Digest, February 76.

— amélioration du métabolisme des lipides et du cho-
lestérol ;

— régularisation des fonctions sexuelles, normalisa-
tion du cycle menstruel, activation testiculaire ;

— action anti-douleur par oxydation de l'hormone 5
HT ;

— augmentation de la vitesse de cicatrisation des
plaies et des brûlures ;

— amélioration du terrain en général et régularisation
de toutes les fonctions.

L'ionisation de certaines préparations à absorber
favorise également la santé.

# CHAPITRE IV

## Cosmo-tellurisme et géobiologie

### *Quelques faits parmi tant d'autres*

Cancer à l'estomac, chez cet homme ! Apparemment inexorable. On s'adressa à un radiesthésiste qui localisa une source importante de courant magnétique sous le lit qu'on s'empressa de déplacer. Le malade se rétablit, cependant qu'un examen plus approfondi permettait d'établir que deux rivières souterraines se croisaient sous l'ancien lieu de souffrances. Parce que la nocivité du « fluide » croît à raison de son ascension, arrivé à l'étage, il devenait mortel.

Toutes les personnes dormant sur une même verticale, dans un building, se trouvèrent malades. Il en alla de même pour d'autres qui leur avaient succédé. Mais certaines qui avaient eu l'idée de changer la disposition de leur lit, furent soulagées de leurs maux.

Une plante se développe magnifiquement dans le salon mais dépérit dans la pièce voisine, malgré une exposition identique. On se rend compte que, juste en dessous, des eaux stagnent ordinairement dans le bassin de la buanderie.

La fréquence des accidents sur une autoroute allemande est inexplicable. Malgré le tracé rectiligne et plan, un revêtement parfaitement égal, les automobilistes franchissent régulièrement la ligne médiane, en un endroit précis, sous lequel on finit par déceler une faille géologique et un courant d'eau.

Deux écuries adjacentes étaient installées sur un terrain en pente. Comme, seul, le tuyau d'évacuation de l'une, en passant sous l'autre, en contrebas, devait perturber gravement le comportement des animaux, on décida de le détourner par l'extérieur. Et tout rentra dans l'ordre.

A quelques mètres d'un rucher, passait une clôture en fil de fer barbelé qu'on se résolut à remplacer par du fil ordinaire : l'essaim reprit son volume et redonna tout son miel.

Le fait, pour des pâtures, d'être désormais irriguées au moyen de tuyaux métalliques qui les entourent sur trois de leurs côtés, diminue la récolte de moitié.

Une maison de construction récente résonna pendant cinq ans des violentes querelles quotidiennement entretenues par ses occupants. Plusieurs autres couples s'y séparèrent successivement, moins d'un an après leur installation, ou déménagèrent à temps. Du fait que les « fluides » ne se perdent jamais, ceux-ci, négativement émanés de la somme des mésententes, avaient imprégné la demeure, dans tous ses matériaux. Voilà qui illustre ce qu'on appelle la « mémoire des murs ».

Dans tous ces cas, on parle plus généralement d'« ondes nocives ».

# La question des ondes nocives

L'énergie négative, émanée du centre de la terre et entretenue par les orages, s'oppose à l'énergie positive en provenance du cosmos. Les émissions telluriques et cosmiques déterminent, à la surface de la terre, les **forces de vie** dont l'étude relève de la **géodynamique**. L'origine des ondes nocives se trouve dans différentes causes de rupture de cet équilibre énergétique.

## Causes naturelles

Le professeur Hartmann a démontré l'existence d'un réseau tellurique qui forme une grille sur l'ensemble de la planète. Les vingt à vingt-cinq centimètres de largeur des lignes qui le constituent, distantes par ailleurs d'environ deux mètres trente dans le sens est-ouest et de deux mètres dans le sens nord-sud, séparent les champs électro-magnétiques. Les points géopathogènes se situant aux intersections de ces lignes, l'intensité de leur champ de rayonnement tellurique ne se trouvera plus compensée par le rayonnement cosmique naturel dès lors que l'amplifie l'action nocive d'accidents géologiques, crevasses, failles, cavernes, galeries, poches de gaz, gisements, cours d'eau souterrains.

L'emplacement des pyramides d'Egypte et d'Amérique latine, des temples grecs, des mégalithes, n'est pas étranger à cette réalité, non moins que le souci des anciens Chinois d'éviter soigneusement, pour leurs constructions, les « veines de dragon », ou l'érection de nombreuses cathédrales du Moyen Age sur d'anciens sites tenus pour sacrés par les Celtes. Les Romains, quant à eux, adoptaient un lieu où ériger un camp ou une ville uniquement en fonction des résultats de l'autopsie pratiquée sur les moutons qu'ils y avaient laissé paître pendant un an...

**Constats**

— Des souris ont été enfermées dans des caisses rectangulaires, qu'on empile sur un nœud tellurique. Si l'espace de captivité le permet, elles fuient le point pathogène ; sinon leur poids diminue considérablement et de nombreux cancers apparaissent.

— Comme la ferme se situe sur un terrain en pente, on a surélevé le plancher de la cuisine, au moyen de deux rails de chemin de fer qui aboutissent au-dessus de la mangeoire, dans l'écurie en contrebas. Or, les animaux ne cessent d'y dépérir.

Le rouge et le jaune du sol, qui entourent l'un la cuisine et l'autre l'écurie, laissent supposer une faille entre deux couches géologiques, de natures différentes. L'onde tellurique, constamment captée par les rails, est transmise aux animaux qui la remettent au sol, en se vidant de leur énergie.

## Certains faits de civilisation

Les effets énergétiques suivants, consécutifs aux exigences de la vie moderne, rompent également l'équilibre des forces cosmo-telluriques, quand ils n'accentuent pas le déséquilibre éventuellement conjugué par les nœuds de Hartmann et certaines caractéristiques du sous-sol.

1° L'installation de **champs de courants différentiels** dus à l'équipement électro-ménager, aux postes de radio et de télévision, aux appareils électroniques, à la lumière artificielle.

La proximité de lignes à haute tension, les déperditions de courant, les objets entourant notre sommeil comme le réveil-radio et la montre à quartz, constituent autant d'interférences électriques.

2° Le rayonnement de l'**électricité statique** émanant de matériaux comme les moquettes synthétiques.

3° Le **rayonnement du froid et de la chaleur** : une fraîcheur nuisible à la santé et augmentant le besoin en énergie calorifique émane des matériaux hydrophobes et mauvais conducteurs ; de bons systèmes de chauffage dégagent une chaleur au contraire homogène, grâce à leurs surfaces verticales et horizontales.

4° Le **rayonnement des couleurs** : comme on l'a vu, un agencement non harmonieux nuit ; ainsi en est-il d'une chambre à coucher peinte en rouge, qui crisperait les muscles, accroîtrait la tension artérielle et accélérerait les rythmes cardiaque et respiratoire.

5° L'**énergie chimique** qui émane des peintures, des isolants, des détergents, des colles, et de leur mise en contact avec d'autres composants.

6° La **lumière artificielle** : sa phase et son neutre peuvent nuire à l'organisme lors des inversions de fils ; c'est pourquoi, les prises de terre aideront à annihiler les effets du rayonnement électrique (éviter l'installation « en épi » des circuits fermés dans les pièces ; installer les interrupteurs sur la phase positive du courant).

7° L'**excès d'isolation** du bâtiment, source de carence en rayons cosmiques.

8° Les **effets de la cage de Faraday**, à savoir l'interception des phénomènes électrostatiques par l'excès de charpentes métalliques et de béton armé.

9° Les **formes de certaines architectures**, de certains objets et de certains meubles.

10° La **carence en ions négatifs**.

Les champs électriques environnants déterminent le caractère positif ou négatif des ions, atomes porteurs d'une charge rythmiquement variable. Les ions négatifs nous sont salutaires, les ions positifs néfastes. La qualité de l'air que nous respirons et, par conséquent, notre tonus dépendent donc de la présence des uns et des autres. On le constate particulièrement par temps d'orage qui nous rend fébrile et irritable parce que l'air est trop lourd d'ions positifs. A la campagne, il y a de mille à deux mille cinq cents ions par centimètre cube ; en ville, de cent cinquante à quatre cents, et dans nos demeures, de trente à cinquante seulement...

Les points de rupture de l'équilibre cosmo-tellurique, parce qu'ils exposent à des perturbations vibratoires, sont susceptibles d'entraîner un dérèglement glandulaire et tissulaire. Migraines, nausées, vertiges et insomnies le manifestent d'abord, de même que les modifications de la tension artérielle et du pouls. La perturbation du système nerveux qui s'ensuit souvent, constitue une sonnette d'alarme. La faiblesse ou l'épuisement augmentent alors les prédispositions aux maladies les plus graves, la fonction ou l'organe le plus faible cédant souvent en premier.

## *Détection radiesthésique*

### Sur place

On se porte en un point du lieu à prospecter. La main libre en antenne, on pivote lentement sur ses talons jusqu'à ce que les oscillations du pendule se transforment en girations. A partir d'un autre point, on recherche une nouvelle direction qui coupe le plus orthogonalement possible la première.

On peut aussi choisir d'observer les réactions du pendule en faisant le tour de la pièce, puis en la traversant en diagonale, fort lentement. Dans tous les cas, il aura été entendu que, le maintien des oscillations traduisant la neutralité ou l'indifférence, la présence d'ondes bénéfiques ou nocives se caractérisera par des girations positives ou négatives. Aussi, pour l'emplacement du lit, choisira-t-on entre les zones où le pendule tourne franchement à droite plutôt qu'entre celles où il se contente d'osciller.

Renouvelez l'expérience dans les chambres de vos proches : vous constaterez que les lits irradiés sont à ceux qui se plaignent de fatigue chronique ou d'affections diverses. Continuez d'expertiser tout votre logis et marquez les zones perturbées à la craie ou avec du papier adhésif.

Expression du désir : « Je désire me rendre sensible aux radiations nocives (bienfaisantes) pouvant exister en ce lieu. »

Pour la recherche des causes, on procédera par questions successives, en allant du général au particulier. Exemple : « Les ondes nocives sont-elles d'origine électrique ? » « Toxique ? » « Tellurique ? » « Géologique ? » — OUI — « S'agit-il d'une eau souterraine ? » « D'une faille ? » ...

Les plantes et les animaux domestiques aident à tester quelque endroit présumé de la maison. M. MOINE[1] affirme qu'une branche de fougère mâle se flétrira en vingt-quatre heures, sur un point nocif, alors qu'une autre, bénéficiant de la même quantité d'eau, dans un vase identique, se conservera ailleurs. Quant à l'animal, on ne le séquestrera certes pas en attendant de voir. On le laissera aller çà et là, en sachant qu'il se couche de biais pour éviter les ondes telluriques et que son coin de prédilection sera celui où les ondes sont les plus bénéfiques.

## Sur plan

On travaillera sur une photographie ou sur le plan en coupe verticale de la maison, sur un plan en coupe horizontale du rez-de-chaussée. Pourront servir de témoins des personnes qui, d'y vivre, sont diversement imprégnées, une mèche de leurs cheveux, une goutte de leur

1. *Op. cit.*, Stock.

sang, une photo, etc. On vérifiera indispensablement sur place, pour plus de précision.

### Mesure du degré de bienfaisance ou de nocivité

L'extrémité droite de la règle universelle touche le point décelé tandis que la personne concernée ou son témoin se trouve éventuellement dans l'autre prolongement. Ayant convenu, par exemple, que « 50 » marque la limite entre la bienfaisance et la nocivité, la réaction du pendule qu'on promène oscillant, indiquera le degré de l'une ou de l'autre. On peut concevoir que les oscillations dans le premier ou le second cadran du rapporteur le traduisent aussi.

## La radiesthologie

### Définition

Une discipline a vu le jour, qui ajoute aux qualités de sensitivité et d'intuition propres à la radiesthésie, la connaissance de l'influence des éléments du sous-sol sur la santé et l'équilibre de l'homme, à savoir la **géobiologie**, ainsi que l'étude des **émissions dues aux formes**. Il est vrai que, comme déjà dit, la radionique envisage également ces dernières, sous l'angle particulier de l'électronique.

La radiesthologie qui s'applique à la détection des ondes nocives et à la localisation des lieux bénéfiques, pourvoyeurs d'énergie vitale, exige du praticien, le développement de ses perceptions extra-sensorielles et l'élévation de son taux vibratoire. Cela vaut d'ailleurs pour chacun puisque, en vertu du *principe de compensation*, le rayonnement cosmo-tellurique, l'onde de vie géodynamique, impose d'autant mieux son intensité aux êtres vivants — comme aux aliments — que leur capital énergétique se trouve diminué.

## Conditions hygiéniques de préservation

• **Le mental** : écarter de son esprit toute pensée négative ou pessimiste ; se concentrer sur des pensées élevées et le désir de chercher.

• **La nourriture** : les meilleurs taux de vibrations sont obtenus des productions naturelles et des légumes crus. La plupart des conserves sont à proscrire, ainsi que les produits traités chimiquement avec des pesticides et des anabolisants.

• **Les vêtements** : ils devraient se composer d'éléments naturels comme la laine, le coton, le lin ou le cuir, car les fabrications synthétiques enferment le corps dans une prison d'électricité statique.

Les mesures radiesthésiques confirment suffisamment ce qu'on reconnaît désormais comme une évidence, pour qu'on n'y insiste pas davantage. Suivant la méthode précédemment décrite, on individualisera la question des compatibilités possibles, en interchangeant personnes, aliments, vêtements, couleurs.

## Moyens de se recharger en énergie

• **La planche magnétique**
Les polarités négative du sol et positive de l'air affectent constamment l'homme. Une thérapeutique ancestrale voulait qu'on marche pieds nus dans la rosée du matin afin de s'harmoniser avec les forces de la nature et de bénéficier des énergies terrestres diffusées au soleil levant. Une exposition quotidienne de deux

minutes sur la planche magnétique équivaudra à une heure de marche dans la rosée.

Le rééquilibrage entre les échanges énergétiques et l'élimination de votre électricité statique vous libéreront de vos tensions.

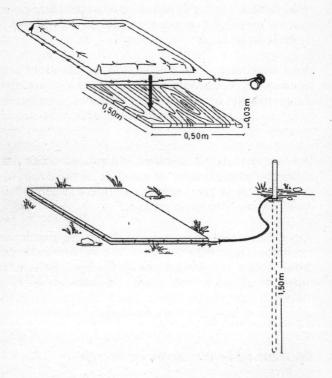

A un endroit reconnu radiesthésiquement sain, vous enfoncez dans le sol un pieu métallique servant de prise de terre spécifique et auquel on raccorde le fil électrique de six millimètres carrés, uniquement dénudé sur les deux mètres de tranche du panneau d'aggloméré où des clous en U l'ont fixé. De cinquante centimètres de côté, de trois centimètres d'épaisseur, ce dernier aura été, au préalable, soigneusement enveloppé dans du papier d'aluminium.

Ne se servir de la plaque ni avant ni pendant un orage et ne dépasser, sous aucun prétexte, la durée d'exposition indiquée.

• **Se pénétrer du magnétisme cosmo-tellurique** nous recharge en énergie. Il convient, pour ce faire, d'obtenir la paix intérieure en communiant par les sens avec la nature. Reconnaissez-la sous tous ses aspects et laissez-vous envahir par son charme. Afin de bénéficier au mieux du contact avec le sol, allongez-vous ensuite sur une couverture. La durée de la position n'excédera pas quinze minutes, du moins les premières fois.

A présent, debout, face au nord et la colonne vertébrale bien droite, répétez trois fois l'exercice suivant. Vous décontractez la cage thoracique. Les doigts des mains entrecroisés, paumes tournées vers l'extérieur, vous tendez les bras vers l'avant et les amenez au-dessus de la tête en inspirant profondément. Vous les tendez alors vers l'arrière, puis relâchez la tension en les baissant et en expirant.

Vous reprendrez enfin la position allongée, tête au nord. Décontractez les muscles du cou et des épaules en même temps que la tension des abdominaux aidera à expirer fortement.

• **L'éclatement des énergies**

On se tient debout, bien droit et face au nord. Les jambes sont légèrement écartées et les pieds, capteurs d'ondes telluriques, bien appuyés sur le sol. Les bras écartés sont tendus vers le haut et les paumes des mains tournées vers le ciel.

Imaginez-vous être le trait d'union entre les forces telluriques qui vous pénètrent par les pieds, sortes de prises de terre, et les forces cosmiques que vos mains captent comme des antennes. Méditez un instant sur cette conjonction dont vous êtes le centre.

Les mains jointes qui ferment le circuit énergétique s'abaissent alors sur la tête. En frottant fortement l'un contre l'autre les pôles opposés qu'elles constituent, vous obtiendrez l'éclatement des énergies, propagateur d'une sensation envahissante de chaleur.

Vos mains palpent ensuite les énergies qui vous entourent et, s'attardant quelque peu à hauteur du plexus solaire, les y centrent à la faveur d'une profonde méditation.

Cette enveloppe devrait augmenter de volume avec les exercices plus volontiers effectués en pleine nature et face au soleil, de l'énergie duquel vous vous laisserez pénétrer.

## Les instruments radiesthologiques

Dès lors que vous avez réussi à élever votre taux vibratoire, ils doivent vous permettre de reconnaître *immédiatement* la nocivité d'un rayonnement. Ainsi, découvrirez-vous tous les points négatifs, plus nombreux qu'on le croit, où il ne faut installer ni lit, ni fauteuil, ni récepteur de télévision que la panne guetterait ou dont le tube cathodique risquerait d'imploser. Une condensation de courants magnétiques, excessivement forte et persistante, peut rendre mortels des endroits bien précis qu'occupent des sièges et des lits où l'on reste longtemps installé.

Au besoin, les girations indirectes de votre pendule confirmeront vos détections.

## La baguette de cuivre

### Confection

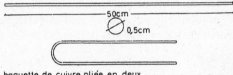

baguette de cuivre pliée en deux

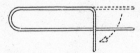

extrémité supérieure pliée vers le bas de sorte à dépasser de ±10cm

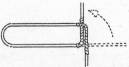

extrémité inférieure identiquement pliée vers le haut; en hachuré, parties qui, sans se toucher, doivent être couvertes de toile isolante

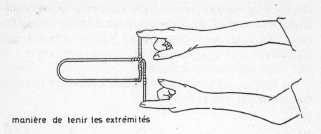

manière de tenir les extrémités

## Utilisation

Vous traversez lentement chaque pièce de votre logis, sur toute sa longueur, puis sur toute sa largeur. Vous marquez d'un trait de craie l'endroit où l'instrument, tenu horizontalement sur sa longueur et verticalement sur sa largeur, pivote entre vos index. Selon qu'il aura

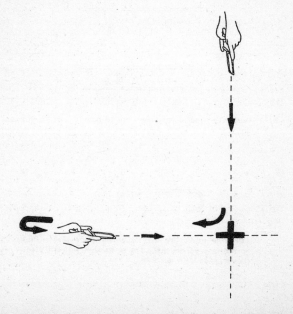

tourné vers la droite ou vers la gauche, c'est par la droite ou par la gauche que, perpendiculairement, vous reviendrez. Et là où, cette fois, il y aura eu attraction à gauche ou à droite, un nouveau trait de craie formera une croix avec le précédent.

## Les antennes géodynamiques

Elles servent à détecter non seulement les radiations telluriques dont la nuisance a pour origine des caractéristiques géologiques, naturelles ou pas, mais aussi les influences nocives qui émanent de personnes, de lieux et de constructions.

### Confection

Prenez deux tiges en laiton, de trois millimètres de diamètre, que vous pliez en forme de L aux deux tiers de leur longueur de quarante-cinq centimètres.

### Utilisation

Avant chaque séance de travail, vous les passez sous l'eau courante, pendant une minute, afin de les décharger. Bien que leur usage repose également sur le principe de l'équilibre, la technique diffère de celle des baguettes en forme de L, qui servent à découvrir des liquides souterrains.

Vous tenez verticalement les antennes géodynamiques par leur branche la plus courte. Comme les mains, que vous gardez à hauteur de la poitrine, sont distantes l'une de l'autre d'environ soixante-cinq centimètres, il n'en manque que cinq pour que se rejoignent les extrémités supérieures des antennes où aboutit le flux énergétique de l'opérateur.

Ce procédé présente la particularité de ne nécessiter aucune convention mentale. Les antennes s'ouvrent vers l'avant dès qu'on pénètre dans une zone perturbée ; elles se referment sitôt retrouvée une zone saine.

Que les pôles négatif et positif, situés aux extrémités supérieures des antennes, restent opposés, signifie que les forces cosmo-telluriques s'équilibrent parfaitement.

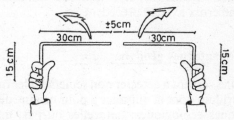

Les antennes réagissent, selon l'amplitude des vibrations de l'opérateur, à celles qui nuisent à la santé et au développement de la vie. Tenues à pleines mains, leur faculté de mouvement doit être ménagée.

On pourra s'exercer en mesurant la distance qu'il convient de garder devant un écran de télévision, en constatant la nocivité des circuits électriques, des prises de courant et des lampes de chevet notamment. A l'aide, successivement, des antennes et du pendule, on s'exercera à localiser les ondes de forme que produit la coupure par un meuble d'un angle mural.

On repérera de même les nœuds de Hartmann où il ne faut pas mettre la tête de son lit, sous peine d'endurer à la longue des maux pires que la céphalée. Car le danger vient de leur résonance avec une anomalie du sous-sol.

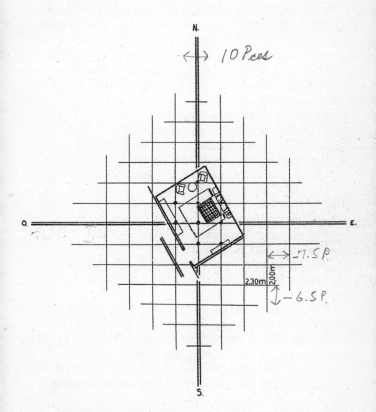

On aura saisi toute l'importance des lieux de travail et de -séjour, de l'emplacement du bureau ou de la machine, du lit surtout, qui expose davantage notre sensibilité aux atteintes de l'environnement immédiat.

## La chambre à coucher

### • Orientation du lit

Certains radiesthésistes en décident sur base de deux critères. En ce qui concerne les personnes en bonne santé physique mais souffrant d'insomnies, d'angoisse et de dépression, il convient d'orienter la tête du lit vers le nord, le pied vers le sud. C'est seulement aux malades que l'orientation à l'est, de la tête, côté soleil levant, est recommandée afin de disposer le corps à une meilleure réparation et le psychique à un meilleur état. En cas d'échec, le changement de chambre s'impose.

### • Quelques précautions supplémentaires

— Peintures minérales ou revêtements muraux en papier, toile de jute, coton, corde, ou lambris en bois.

— Couleurs vert olive ou vert pastel.

— Moquettes et tapis en fibres naturelles.

— Pas de récepteur de télévision. Ni téléphone, ni prise de courant, ni réveil électrique, ni lampe de chevet métallique, ni lumière au néon, à la tête du lit.

— Pas de meuble coupant un angle mural.

— Pas de miroir en face du lit.

— Ne pas dormir parallèlement à des fils électriques.

— Laisser quinze centimètres entre la tête du lit et le mur.

— Préférer les matelas en crin, laine ou latex à ceux avec ressorts ou mousse. Ces derniers conservent l'électricité statique et empêchent la respiration du corps dont ils captent les fluides pour s'en imprégner.

— Utiliser des oreillers et des édredons de duvet ou de plume, du linge de nuit en fibres naturelles comme le coton.

Tous facteurs dont la nocivité cumulée, en cas de non-respect, est attestée par les instruments.

## La bio-architecture

D'une manière plus générale, certains constructeurs commencent d'envisager l'influence des formes architecturales et des matériaux sur la vie[1].

Essayant de retrouver le savoir des antiques bâtisseurs, du secret du Nombre d'Or à la répartition harmonieuse des volumes, ils acceptent également de considérer l'influence nocive des vibrations du béton armé sur le squelette, des matériaux synthétiques et de la pollution électrique. Si des accidents géologiques s'y ajoutent, les immenses cages des nouvelles cités engendrent dépression et maladies, quand le rayonnement de certaines de leurs lignes concaves ne se propage pas alentour.

La pose des bois elle-même n'est pas indifférente, car la base d'un arbre, en contact avec le sol, a une polarité négative, au contraire de la partie supérieure. L'ascension de la sève bénéficiant de cette dualité, elle sera entravée si on applique le principe utilisé pour l'assèchement des murs humides, en enroulant autour des branches, un câble électrique relié à une prise de terre. Du fait de la persistance de cette double polarité dans les fibres de bois coupé, il y aurait notamment lieu de conserver les poutres verticales des habitations dans le sens de la pousse des arbres, l'inversion attirant la foudre.

Parce que soumise à la géographie (nature du sol et du sous-sol, climat, environnement) et aux diverses formes des matériaux employés, la bio-architecture ne se soumet pas à la standardisation. Le pendule et une règle de mesure des vibrations, que d'ingénieux appareils physiques confirmeront dans les résultats, permettront d'apprécier chaque cas. Disons simplement que, dans son dessein d'harmoniser les vibrations de la nature (terrains, courants, matériaux) avec celles de nos tissus, la **biotique** envisage les différents modes d'architecture capables d'y satisfaire.

---

1. J.-P. DILLENSEGER, *Habitation et santé,* Ed. Dangles.

## Le géodynamètre

Nous avons convenu d'évaluer le degré de nocivité ou de bienfaisance d'un point, à l'aide de la règle universelle ou, plus pratiquement, du rapporteur. On doit pourtant à B. LEGRAIS et G. ALTENBACH[1], la subtile invention du géodynamètre, dont la **règle-antenne**,

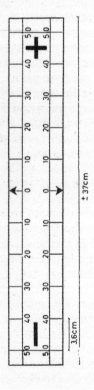

1. Une initiation substantielle à la radiesthologie s'accompagnera de la lecture de leur ouvrage fondamental, *Santé et Cosmotellurisme*, aux éditions Dangles.

munie de son système d'amplification, assure la *mesure pendulaire* de l'*onde de vie*, de la *qualité biotique* d'une habitation ou d'un site. L'équilibre cosmo-tellurique s'y trouve d'autant mieux réalisé qu'elle est élevée, favorisant ainsi l'activité organique, psychique et même spirituelle.

Orientée pour son usage dans le sens nord-sud, la règle-antenne porte une graduation allant de − 50 à + 50.

On peut la reproduire sur une feuille de papier, à coller sur une planchette en contre-plaqué. La giration du pendule s'arrêtera alors sur le nombre correspondant à l'intensité du rayonnement du lieu :

— de 0 à − 10 indiquera une zone perturbée ;
— de 0 à − 20, l'accentuation de son caractère ;
— en-deçà de − 20, des ondes cosmo-telluriques à fuir ou rééquilibrer au plus tôt, comme typiques du cancer.

Une faille du sous-sol, une caverne souterraine, le croisement de plusieurs cours d'eau souterrains, les effets conjugués d'un cours d'eau souterrain et d'une faille qu'un nœud de Hartmann vient amplifier, sont responsables de la nocivité en-deçà de − 10. Insistons encore sur l'aggravation qu'occasionnent le béton armé, les importantes masses métalliques, certains types d'isolation, les matériaux synthétiques, qui, tous, filtrent l'énergie cosmique, et l'électrification à outrance qui perturbe les champs magnétiques naturels.

Signalons aussi que les légumes traités aux engrais chimiques et pulvérisés accusent une moyenne de − 25, la plupart des conserves − 50.

— 0 signifiera la neutralité de la zone ;
— de + 10 à + 15, une onde de vie favorable, caractéristique de nombreux anciens sites romains ;
— de + 15 à + 25, une qualité biotique accrue, porteuse de magnétisme vital ;
— de + 25 à + 35, une intensité privilégiée, caractéris-

tique des légumes produits naturellement. Il ne faut cependant pas trop s'y exposer, sous peine d'obtenir l'effet inverse.

— au-delà de + 35, l'onde de vie extrêmement puissante des lieux sacrés demande une fréquentation par les seuls initiés.

De fait, nombreux sont d'anciens sites et monuments déjà cités, où la persistance d'une forte onde de vie atteste encore leurs vertus curatives.

### Longueur de radiation vitale du corps humain

Elle oscille entre + 5 et + 15 chez un individu de constitution normale, en bonne santé et dans la force de l'âge.

Elle descend jusque − 5 et nettement plus bas même suivant la gravité de la maladie, accusant − 35 en cas de cancer et − 45 au seuil de la mort.

Un bébé de forte vitalité disposera, à sa naissance, d'un capital-santé de + 15.

Quelqu'un dont la longueur de rayonnement vital atteint normalement + 10, s'affaiblira fort vite en cas de séjour dans une zone marquant − 25.

## Dispositifs protecteurs

Lakhowsky décrivait, dans *Le Secret de la vie*, l'action bénéfique du rayonnement cosmique.

Un mois après l'inoculation simultanée du cancer à des géraniums, les tumeurs se sont développées. On entoure l'un, pris au hasard, d'une spire circulaire en cuivre, de trente centimètres de diamètre et dont les extrémités sont fixées dans un support d'ébonite. Longue de deux mètres, notre spire est censée capter l'énergie oscillante, d'origine cosmique. A l'exception de celui qui en est pourvu, tous les géraniums sont morts après deux semaines. Mieux ! Deux mois plus tard, il est deux fois plus développé que d'autres parfaitement sains, n'ayant subi aucun traitement.

Lakhowsky en a conçu des **circuits oscillants** qui permettent de rétablir l'équilibre vibratoire des cellules.

Pour les végétaux en période de sève montante, le fil, de forme solénoïdale, va du sol dans lequel on enterre une extrémité, vers la lumière naturelle. On détermine radiesthésiquement le nombre de spires et leur emplacement. Que le pendule ne cesse d'indiquer la même orientation, pendant deux ou trois mois, signifie le retour à la santé et l'absence de parasites.

Sur l'homme, il convient de rapprocher les extrémités de façon à obtenir une superposition d'un centimètre environ. Le pendule désigne la nature du fil (cuivre, or, argent, plomb, laiton), sa longueur et la couleur de l'isolant dont on le recouvre, son emplacement (poignet, taille, cou, cheville) et les moments de la journée les plus propices au port.

Une floraison de dispositifs compensateurs, éliminateurs, neutralisateurs, déviateurs, accumulateurs ou condensateurs, rééquilibreurs d'ondes nocives a suivi[1]. Les **régénérateurs biotiques**, qui rétablissent le rayonnement cosmo-tellurique et augmentent la qualité biotique du logis, ont les meilleurs effets et les plus durables.

Comme il faut personnaliser le dispositif protecteur en l'harmonisant avec l'habitation et ses occupants, on teste régulièrement son efficacité. Une fois l'appareil installé sur la zone repérée par les antennes géodynamiques, le pendule est suspendu à différentes hauteurs, sur la verticale du point central. Faire de même en s'en éloignant petit à petit. Le retour à une onde de vie favorable se matérialisera par des girations franchement positives, confirmées par une nouvelle inspection des antennes qui ne s'écartent plus.

---

1. Jacques LA MAYA en dresse un inventaire complet dans *La Médecine de l'Habitat*, Ed. Dangles.

On recommencera cependant de fouiller tout le lieu de vie et ses environs afin de s'assurer que le dispositif ne s'est pas limité à dévier les ondes, n'a pas perturbé les champs magnétiques ni inversé les polarités.

Pour terminer, nous ne résisterons pas au plaisir, à tout le moins esthétique, de donner comme exemple d'effets neutralisateurs, l'antique **forme Louksor**. A noter la section carrée des neuf rectangles et des deux triangles. Le relief de ces derniers penche doucement vers les pointes. Mis à plat, le dispositif n'a qu'une efficacité limitée à quelques mètres : insuffisant à compenser la force des ondes nocives, il se sature et en émet à son tour. C'est pourquoi, un motif pyramidal a été ajouté à chacune de ses extrémités, qui décuple son champ d'action.

Remarquons que si, pour des raisons de commodité, ces motifs peuvent n'être que rapportés, les rectangles

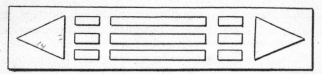

Forme louksor en perspective plane

Neutralisateur d'ondes nocives de forme louksor améliorée.

La bague atlante qui, mise à plat, neutralise les ondes nocives.

et les triangles doivent absolument être taillés dans la masse et dans le fil du bois.

La nécessaire orientation de l'appareil vers le nord magnétique sera vérifiée par les réactions positives que le pendule manifestera à l'extrémité de l'embout et à la pointe du triangle qui précède.

La forme Louksor se satisfait pleinement d'elle-même lorsqu'elle orne une bague dont le modèle, en vieux grès d'Assouan, fut découvert, il y a plus de cinquante ans, dans la vallée des Rois. Son port aurait épargné l'égyptologue Howard Carter de la mortelle malédiction à laquelle le viol de la sépulture de Toutânkhamon aurait condamné ses compagnons... Légende ou pas, la *bague atlante* est réputée créer une zone protectrice autour de son utilisateur, guérir même, et développer l'intuition.

# SIXIÈME PARTIE

# Autres applications

# CHAPITRE I

# La psychologie

Une perception psychologique, globalement intuitive, intervient immanquablement à l'occasion de la recherche de personnes et de la consultation médicale. L'examen psychologique requiert aussi un savoir technique et une expérience spécifiques, qui permettent d'interpréter les données propres au cas et d'élaborer une synthèse en vue d'une conclusion pratique.

Le pendule va concourir à situer la valeur des tests par rapport au sujet, à exciser le vrai problème en suggérant les questions essentielles, éventuellement dépendantes d'éléments cachés ou oubliés. De la synthèse intelligente naîtra, bien sûr, la solution qu'on s'efforcera cependant de faire découvrir par le demandeur en devoir de s'assumer lui-même.

On se servira des bases de la caractérologie classique pour déceler le caractère-type auquel le sujet répond le mieux. Plusieurs méthodes se présentent, dont l'heureuse combinaison, en plus d'enrichir l'analyse, libérera du risque de systématisation. Celle de JUNG, par exemple, se fonde sur la notion introversionextraversion et sur quatre tendances caractérologiques de base (penseur, sentimental, sensitif et intuitif).

Si nous nous servons du rapporteur, nous convenons que les oscillations à gauche de la verticale OX signifient « NON »; celles à droite, « OUI ». « Le demandeur qui se trouve à ma gauche (qui y est représenté en A), est-il introverti ? ». Contre-épreuve : « Est-il extraverti ? ». On ne retiendra des réponses aux questions suivantes que celles qui auront engendré des oscillations positives, étant entendu que celles qui se seront le plus rapprochées de OB désigneront le **type dominant**. « Est-il extraverti penseur ? » « Extraverti sentimental ? » « Extraverti sensitif ? » « Extraverti intuitif ? », par exemple.

Plus directement, on pourrait répartir les huit types dans un diagramme semi-circulaire. La direction prise par les oscillations du pendule présenté, immobile, au-dessus du point central, indiquera le type dominant.

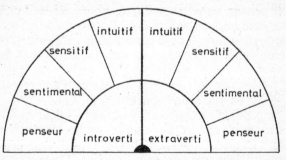

L'analyse demande souvent qu'il soit fait appel à un ou deux **sous-types**. C'est toujours le cas quand on recourt à la méthode de SHELDON qui n'offre que trois types caractérologiques purs : le viscérotonique, le somatotonique et le cérébrotonique. Comme ils entrent tous dans le caractère, on retirera les aspects complémentaires d'une autre méthode.

Voir sur le rapporteur, dans quelle mesure les sous-types modifient le type dominant.

D'autres classifications, fondées sur l'interdépendance permanente entre les domaines physique et psychique, distinguent les **tempéraments** en fonction de la prédominance d'un des quatre appareils anatomiques principaux : le type lymphatique à dominante digestive, le type sanguin à dominante respiratoire et circulatoire, le type bilieux à dominante ostéo-musculaire et le type nerveux. La prédominance d'une de nos glandes endocrines permet de caractériser le surrénalien, le thyroïdien, l'hypophysaire et le génital, tant du point de vue physiologique que de celui du caractère et de l'intelligence. On n'oubliera pas de faire la part entre les facteurs constitutionnels ou innés et ceux acquis en raison des milieux matériel, éducatif, professionnel, de l'alimentation, etc.

L'analyse psychologique a généralement une fonction sélective, qui nous définit dans le contexte socio-économique et par rapport aux exigences affectives.

## Orientation scolaire

Nous allons situer l'enfant sur l'échelle de l'intelligence proposée par le professeur Wohlberg, par exemple. Le diagramme suivant propose trois secteurs et douze sous-secteurs qui empiètent les uns sur les autres.

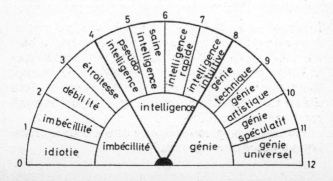

— idiotie : intelligence insuffisante à appréhender la simple connaissance scolaire ; déficience intellectuelle entraînant une inaptitude sociale complète ;

— imbécillité : facultés qui, ne dépassant pas le simple savoir scolaire, ne permettront que peu de démarches dans la société ;

— débilité : le peu de développement intellectuel n'assure l'autonomie que dans des situations fort simples ;

— étroitesse, manque d'intelligence ou « bêtise » : possibilité d'un apprentissage scolaire, dans des domaines limités ; erreurs conséquentes dans le domaine de l'activité sociale ;

— pseudo-intelligence : bonne mémoire, mais compréhension superficielle ;

— saine intelligence, mais compréhension lente ;

— intelligence rapide et profonde compréhension.

## Orientation professionnelle

Il s'agit de relever les professions qu'un sujet peut envisager en fonction de son caractère. Le choix radiesthésique ne résultera pas d'une longue énumération des professions, mais se basera, à travers des diagrammes, sur la corrélation entre les principaux types caractérologiques et les familles professionnelles, que propose la méthode Szondi[1].

---

1. Voir aussi les douze caractères-types de Jean CHARTIER, dans *Cours pratique de caractérologie*, Ed. Dangles.

| | **Genres** | **Familles professionnelles** (énumérations non exhaustives) |
|---|---|---|
| 1. | tendre ; aime servir les autres, se soumettre, toucher | coiffeur, maquilleur, dermatologue, gynécologue, employé de bains, lingerie, dessin de mode, artiste, chanteur, garçon de café, hôtelier, pâtissier, cuisinier |
| 2. | agressif, viril, actif, musculaire | cocher, garçon de ferme, dresseur, infirmier, chirurgien, dentiste, forestier, bûcheron, mineur, cordonnier, sculpteur, militaire, masseur, professeur de gymnastique |
| 3. | aime servir ; possède le sens de l'équilibre | marin, livreur, aviateur, forgeron, chauffeur, pompier, ramoneur, boulanger, prêtre, moine, assistant social |
| 4. | exhibitionniste affectif | crieur de foire, artiste, comédien, politicien |
| 5. | renfermé, égocentrique, narcissique | professeur, instituteur, comptable, graveur, gardien de nuit, mannequin |
| 6. | créateur ; aime sentir, entendre, se donner de l'importance | constructeur, organisateur, archéologue, astrologue, graphologue, psychiatre, musicien, pharmacien, chimiste, droguiste, juge, détective, avocat |
| 7. | aime sentir ; s'attache aux collections, recherche les objets de valeur | magasinier, philatéliste, antiquaire, commissaire-priseur, conservateur de musée, teinturier, peintre, services d'hygiène, balayeur, tripier, critique, travailleur du cuir |
| 8. | aime goûter, prendre et donner des objets | garçon de café, cuisinier, dégustateur, musicien (instrument à vent), vendeur, acheteur, professeur de langues, stomatologiste |

## Embauche, choix d'un collaborateur

L'indispensable personnalisation du problème est évidemment étrangère à une définition du candidat idéal. Elle prend en compte un maximum d'éléments intervenant dans la décision à prendre : projets et caractère de l'employeur ; portrait du collaborateur souhaité, dont on vérifiera la conformité à l'objectif poursuivi ; objet de la mission et milieu qui le conditionne ; définition et mesure des qualités professionnelles et morales du candidat. On dominera également la question par la recherche de la vérité objective qui ne répond pas nécessairement aux aspirations quelquefois illusoires du demandeur.

## Gestion d'affaires

Si on pratiquait seul la recherche, la possession des connaissances techniques élémentaires devrait suffire, du moins en principe, au choix des solutions, de même que la connaissance des remèdes à la disparition des troubles physiologiques. Une étroite collaboration entre le radiesthésiste et le demandeur est toutefois souhaitable du fait que ce dernier détient normalement le savoir technique, indispensable à la résolution du problème, au choix de la meilleure solution, qu'une sympathie confinant à de la télépathie favorisera par ailleurs. C'est pourquoi une conversation préliminaire, à caractère général, y prédisposera. Et le contrôle au pendule des intentions avouées ou dissimulées du demandeur, de son degré de confiance et de franchise, décidera de l'opportunité d'accepter la recherche.

Le R.P. JURION recommande la convention suivante[1]. On lance le pendule en girations positives, qui se maintiennent si la réponse est positive, s'arrêtent

1. Dans *Radiesthésie, Etudes psychologiques, Gestion d'affaires*, édition d'auteur.

si elle est négative. On notera des réactions pendulaires d'autant plus franches et nettes que l'interlocuteur, comprenant la recherche radiesthésique, aura perçu la manière de formuler correctement les questions. D'autre part, comme certaines solutions ont déjà été envisagées à partir de l'étude de son problème, il attend secrètement de la radiesthésie, une confirmation : pour prévenir un exposé tendancieux et incomplet, on l'invitera à livrer toutes les données, sans embarras ni restriction.

Ayant lancé le pendule en girations positives, on entend donc le demandeur exposer la question, le plus simplement et le plus complètement possible. Des réactions positives et négatives participent d'un tri initial des informations. L'arrêt du pendule qui refuse de tourner malgré les tentatives volontaires correspond à l'emploi inapproprié d'un terme, à une fausse alternative ou à une appréciation erronée. De plus, comme un problème mal posé ou faux, ou dont il y a lieu de différer l'étude, engendre des mouvements désordonnés, on comprend la nécessité de concevoir les questions simplement, de les formuler clairement, d'éviter les faux dilemmes et d'opérer certains recoupements.

Lorsque plusieurs solutions se présenteront irréductiblement à votre choix, vous les départagerez en les chiffrant au rapporteur. Assurez-vous, à ce moment, de cette neutralité parfaite qui demande le « vide mental ».

En conclusion, la radiesthésie appliquée aux affaires sollicite l'intuition et oblige l'intelligence à des raisonnements profonds et rigoureux.

## Recherches policières

On ne recourt généralement aux services d'un radiesthésiste que lorsque tous les moyens habituels ont été vainement mis en œuvre. La neutralité de l'opérateur se trouve ainsi préservée du risque d'interférences télépathiques en provenance des acteurs, de la police et de l'opinion publique.

Au nom de cette même neutralité et indépendamment de l'analyse psychologique, LE GALL préconise des investigations permettant, non pas de se forger une opinion, mais d'élaborer des questions à fins exclusivement radiesthésiques. D'obtenir que des noms de personnes assurément étrangères à l'affaire, ou même imaginaires, aient été mêlés à la liste des suspects et des témoins garantira également du péril de la suggestion, puisque le coupable n'y figure peut-être pas. A ce propos, il observe d'ailleurs que le seul degré de **responsabilité** des suspects se prête à la mesure, et non leur culpabilité[1].

## L'entente sentimentale

L'accord sentimental, la détermination de sentiments authentiques s'obtiennent au moyen de la recherche caractérologique. Si, plus simplement, deux êtres désirent être informés de la réalité profonde de leur accord, on tient le pendule immobile entre leurs deux mêmes mains, posées à plat, de façon à ce qu'il puisse osciller, deux ou trois centimètres au-dessus des revers. Convenons que le maintien de l'immobilité marquera la répulsion et la formation des oscillations, l'attraction dont l'ampleur sera traduite par le rapporteur.

1. Dans *Connaissance par radiesthésie*, tome I *(La Radiesthésie psychologique)*, édition d'auteur.

# CHAPITRE II

# Les activités de base

## Agriculture, horticulture

### La convention
On a convenu de la concordance des réactions instru-
mentales en cas d'appropriation du sol à la plante, et
inversement : présenté successivement au-dessus de
l'un et de l'autre, le pendule se met à tourner positivement, dans le premier cas, alors que ses oscillations persistent au-dessus de la seule plante, dans le second cas.
Il en ira de même avec graines ou plants, et le sol auquel
on les destine.

### Ce qui entre dans les questions
Déterminer la nature du terrain dont on prélève un
échantillon qui servira de témoin, analyser ses différentes composantes à l'aide du rapporteur ou de la règle
universelle, ne suffisent pas au choix de la plantation.
L'intervention de facteurs comme le degré d'humidité
du sol, l'orientation, l'exposition au soleil et au vent,
oblige à des questions qui en tiennent également

compte, dans la recherche sur le terrain ou sur plan :
« A quel endroit de mon jardin, puis-je envisager la culture de telle plante ? »

Un égal souci de précision demande une dénomination exacte qui, faute d'être suffisamment évocatrice, invite à se procurer un spécimen de la plante, de sa variété, ou la photographie.

La production agricole est dirigée dans la perspective d'un rendement optimal, envisagé sous un aspect particulier. Le but poursuivi conditionnant la culture, il sera précisé. On peut se demander moyennant quoi le rendement évalué en pourcentage est améliorable : doser l'engrais choisi en recherchant le nombre précis des mesures nécessaires à la surface considérée.

## Elevage

Outre la médecine vétérinaire, mentionnons la **sélection par la reproduction et les croisements**.

Les deux animaux étant fort peu distants l'un de l'autre, les oscillations lancées perpendiculairement au « rayon d'union » doivent épouser sa direction pour marquer l'accord que le rapporteur différenciera de tous autres possibles.

Le **sexe de l'embryon** sera celui que symbolise le témoin mâle ♂ ou le témoin femelle ♀, quand les oscillations auront pris la direction du rayon qui unit soit l'un, soit l'autre, à l'œuf comme à la matrice, d'ailleurs.

## Chasse et pêche

Muni d'un témoin — quelques poils ou quelques plumes de l'espèce recherchée —, on fait osciller le pendule au-dessus d'une carte orientée, que parcourt l'index de la main libre, en antenne. Le pendule tournera positivement quand le doigt indiquera la bonne direction. Pour évaluer la distance, on recourra à une des nombreuses techniques de comptage.

Comparativement à la recherche de personnes, le processus apparaît plus élémentaire, sauf que son sens du danger avertira durablement l'animal repéré. En effet, le transport instantané de la pensée jusqu'à lui l'aura aussitôt mis en alerte.

On détectera les bancs de poissons de la même manière, en se munissant d'une carte marine et d'un témoin de l'espèce convoitée.

# CHAPITRE III

## Pronostics et loteries

En raison des impondérables, il est exclu que la radiesthésie, même parfaitement menée, fournisse des résultats certains. Elle peut cependant renseigner sur des éléments essentiels, dont on tirera le meilleur profit.

On classera les compétiteurs — chevaux et jockeys, joueurs et équipes — suivant leur ordre décroissant de **vitalité** ou de forme, que les évaluations au rapporteur auront déterminé. N'oublions pas de tenir compte de divers facteurs d'influence comme le genre de course, l'état du terrain qui oblige à chercher le plus tard possible, la complémentarité entre équipiers — cheval et jockey compris —, appréciée et mesurée selon la convention du rayon d'union et celle du rapporteur.

La comparaison avec les résultats réels aidera à se corriger d'erreurs et d'oublis qu'on attribue trop vite au hasard. Mais la pire difficulté vient sans doute de l'autosuggestion que la hiérarchie des valeurs, forgée par la mémoire des résultats, et les sympathies ne cessent d'alimenter. Il y a paradoxe à ce que l'indispensable expérience affecte toujours plus une neutralité qui ne l'est pas moins.

Enfin, on demandera, suivant les particularités de la loterie, quels chiffres, de 0 à 9, nous sont les plus favorables, qu'il s'agisse du premier, du deuxième, du troisième... dans l'ordre de tirage, ou de ceux qui indiquent successivement les unités, les dizaines, les centaines... On s'inquiétera aussi de ses jours de réussite...

# CONCLUSION

## Perspectives

Tout ce qui relève de l'activité humaine se prête à la radiesthésie. Les obstacles naissent de la difficile adaptation des disciplines au mode exploratoire. Tant que nous restions dans ses domaines de prédilection, nous osions affirmer que la radiesthésie a pour sciences auxiliaires, ses différents domaines d'application. Confronté au phénomène du gant qui se retourne, au fur et à mesure de notre progression dans le maquis des connaissances, nous avons dû convenir de l'inversion des rôles. Si la radiesthésie ne s'en trouve nullement modifiée dans ses principes, il convient de débrouiller un problème s'inscrivant désormais dans un contexte spécifique, de le dépecer comme on déferait un fagot, brindille après brindille. On voit pourquoi de nombreux radiesthésistes se spécialisent, à côté d'autres qui, restés attachés à l'universalité pratique de la méthode, sollicitent du demandeur qu'il s'efforce à une collaboration technique.

## Unité de la méthode

Les fondements psychiques de la radiesthésie demeurent, en dépit de toute technicité. Nous ne nions pas le principe du rayonnement universel qui donnerait son explication physique à la radiesthésie. L'hypothèse en a même été retenue implicitement, à propos d'ondes de forme et de cosmo-tellurisme, notamment. Cependant, plutôt que de s'encombrer de considérations empiriques, à caractère forcément subjectif, nous avons préféré poser les conditions mentales sans lesquelles il n'y a pas, en tout état de cause, de radiesthésie possible : confiance, concentration, orientation de la pensée, neutralité, conventions, interrogations, toutes phases d'un processus non moins rigoureux qu'inspiré, et adaptable aux situations les plus diverses.

## Ultimes recommandations

Enumérer les principales sert à rappeler les fondements essentiels de la méthode et sa signification.

Les instruments traduisent donc, en les amplifiant, les réflexes neuro-musculaires qui sont la conséquence physiologique d'un travail **inconscient** de perception, de sélection et d'information. A moins que, projetant la vérité sous la forme d'une idée, il ne produise un phénomène de « radiesthésie mentale », prise alors dans un sens restrictif.

Comme le fait d'entreprendre une expérience sans bonnes dispositions physiques et mentales affecte la sensibilité, on ne négligera pas le préalable de la relaxation. Calme et solitude favorisent également la concentration de l'attention sur l'objet de la recherche, de même que l'occlusion de la pensée raisonnante, sans laquelle l'intuition provoquée ne pourrait s'exprimer. Ils permettent encore de surmonter le *trac radiesthésique,* sorte de blocage irrésistible et momentané que l'on constate notamment dans le *fading*.

On recommande, à ce propos, une thérapeutique autosuggestive. Préservez-vous de tout contact extérieur et départissez-vous de toute idée étrangère à l'objet de votre démarche. Vous étant efforcé au calme spirituel, c'est entièrement rasséréné que vous reprendrez la recherche, sans hâte ni précipitation. Pas d'introspection. L'analyse des mouvements instrumentaux importe seule à leur interprétation correcte.

Il va de soi que l'isolement aide à s'abstraire de toute influence extérieure, source de suggestions. En radiesthésie télépathique, où la simple évidence fait admettre l'émission, la réception et l'interaction d'ondes cérébrales, l'interférence des messages oblige à des subterfuges. Contrairement à la personne égarée ou enlevée, qui va émettre d'intenses appels angoissés, le fugueur ou le délinquant s'efforcera de brouiller les pistes. Il arrive que des recherches soient menées simultanément par plusieurs radiesthésistes, sans parler de l'entourage et de la police. Dans les deux cas, on opérera en période supposée de sommeil afin d'empêcher que l'état passif d'attente où on se trouve n'expose aux suggestions mentales extérieures et aux effets de la transmission de pensée.

On s'exposera d'autant moins au scepticisme, à l'hostilité et aux railleries qui n'ont pas besoin de s'exprimer pour induire en erreur. Pas d'exhibitionnisme. Les assistants éventuels seront des observateurs neutres, n'exerçant aucune influence et se dispensant même de penser à l'objet de la recherche.

Pour ce qui concerne notre propre maîtrise, on refoulera inlassablement l'autosuggestion, cette tentatrice aux multiples aspects, qui ne cesse de nous fourvoyer dans les errances de l'imagination, des préjugés et des préventions.

L'intervention de la pensée raisonnante prive tout autant de la neutralité, indispensable à l'émergence de l'intuition provoquée. On peut cependant dire que l'analyse logique fait entrer beaucoup de rationnel dans un monde réputé ne pas l'être, quand elle préside indispensablement à la formulation précise, franche et impérative des questions, aussi complètes et nombreuses que l'exigent les réponses par « oui » ou par « non ». Netteté des questions donc, sans oublier celle des conventions dont l'adaptabilité aux différentes situations n'empêche pas une permanence qui assure l'automatisme des réflexes.

La raison et l'expérience interviendront prioritairement dans le contrôle de vraisemblance des résultats. Avant de rejeter une réponse apparemment fausse ou surprenante, on aura examiné le problème sous tous ses aspects, en n'oubliant pas de considérer les négligences et les oublis éventuels, ni le facteur « temps ». Car de proches événements confirmeront peut-être une réponse inappropriée au contexte présent.

Les progrès viendront enfin de la recherche des erreurs qui ont causé nos échecs.

# NOTE BIBLIOGRAPHIQUE

Les traités de radiesthésie abondent. Parmi les ouvrages cités en note et outre ceux-ci, nous en proposons, qui nous paraissent fondamentaux.

## Radiesthésie générale

— Antoine LUZY, *Radiesthésie moderne. Théorie et pratique complètement expliquées*, Ed. Dangles.

A cet auteur, revient le mérite d'avoir le mieux démonté le mécanisme mental de la radiesthésie. Hommage soit rendu, ici, au maître qui n'a cessé de guider notre démarche !

— Maurice LE GALL, *Toute la radiesthésie en neuf leçons*, Dervy-Livres.

Synthèse magistrale et opérationnelle. Va directement à l'essentiel.

— Michel MOINE, *Guide de la radiesthésie*, Stock.

La partie médicale, munie de planches anatomiques, est particulièrement développée et intéressante.

— Jean-Pol de KERSAINT, *Tout par la radiesthésie*, Ed. Dangles.

Mise au point d'un *chercheur radiesthésique universel*, formé de cercles concentriques et orientés. Les numéros portés à chaque intersection de rayons renvoient au classement ordonné des principaux éléments constitutifs de nombreux domaines d'application.

— J.-L. BAUM, *Beginner's Handbook of Dowsing* (*Manuel du débutant en radiesthésie*), Crown Publishers, Inc., New York, 1974.

— Abbé MERMET, *Comment j'opère*, Editions de la Maison de la Radiesthésie, 16, rue Saint-Roch, 75001 Paris.

Attachant témoignage de ses réussites constantes et phénoménales. De la permanence de procédés qui lui servaient de supports, il a cru pouvoir tirer certaines lois physiques (rayons fondamental, mental, lumineux ; rayon-témoin).

## Radiesthésie médicale

— R.P. JURION, *Thérapeutiques naturelles*, T. II (*Radiesthésie médicale, documentation*), édition d'auteur.

— Adrien GESTA, *La Radiesthésie médicale*, Solar.

## Radiesthologie

— B. LEGRAIS et G. ALTENBACH, *Santé et cosmo-tellurisme*, Ed. Dangles.

## Psychologie, gestion d'affaires

— Maurice LE GALL, *Connaissance par radiesthésie*, T. I (*La Radiesthésie psychologique*), édition d'auteur.

— R.P. JURION, *Radiesthésie, Etudes psychologiques, Gestion d'affaires*, édition d'auteur.

# TABLE DES MATIÈRES

# Au catalogue
# Marabout

# Astrologie
# Sciences occultes

## Les signes du zodiaque

## Esotérisme/Divination

# Psychologie

## Psychologie / Psychanalyse

## Psychologie et personnalité

# Tests

# Santé - Forme

# Sexualité

# Vie quotidienne

IMPRESSION : BUSSIÈRE S.A., SAINT-AMAND (CHER). — N° 3139
D. L. OCTOBRE 1990/0099/251
ISBN 2-501-01408-1
*Imprimé en France*